Querida Alb[...]

Que a leitu[...]
deste livro te a[...]
na educação do fa[...]
para que no futuro[...]
possa ser um homem
livre, feliz e, sobretudo,
comprometido com Deus
e com o mundo.

Feliz natal!
Feliz 2005!

com muito
carinho
sua irmã
Ana Paula

LIMITES
sem trauma

TANIA ZAGURY

LIMITES
sem trauma

CONSTRUINDO CIDADÃOS

57ª EDIÇÃO

EDITORA RECORD
RIO DE JANEIRO • SÃO PAULO
2003

CIP-Brasil. Catalogação-na-fonte
Sindicato Nacional dos Editores de Livros, RJ.

Zagury, Tania, 1949-
Z23L   Limites sem trauma / Tania Zagury. –
57ª ed.   57ª ed. – Rio de Janeiro: Record, 2003.
     (Construindo cidadãos)

     Inclui bibliografia
     ISBN 85 01 05994 3

     1. Pais e filhos . 2. Educação de crianças. I. Título.

                      CDD – 649.1
00-1147   CDU – 649.1

Direitos exclusivos desta edição reservados pela
DISTRIBUIDORA RECORD DE SERVIÇOS DE IMPRENSA S.A.
Rua Argentina 171 – Rio de Janeiro, RJ – 20921-380 – Tel.: 2585-2000

Impresso no Brasil

ISBN 85-01-05994-3

PEDIDOS PELO REEMBOLSO POSTAL
Caixa Postal 23.052
Rio de Janeiro, RJ – 20922-970

Ao meu querido marido Leão, alma gêmea, companheiro de toda a vida, com quem aprendi que somente para o verdadeiro amor não há limites.

"Aos 17 anos, achava meu pai a pessoa mais estúpida do mundo. Aos 21, achei maravilhoso o quanto ele havia aprendido em apenas quatro anos..."

MARK TWAIN

"Meu maior orgulho aos 80 anos é saber metade do que pensava saber aos 20..."

PABLO PICASSO

Sumário

Limites, sim ou não? 11

Dar limites é... 21

Dar limites *não é*... 25

Dar limites não é ser autoritário... 29

O que pode acontecer quando não se dá limite 33

Por que não bater 49

O que a palmada realmente ensina é... 53

Mas como disciplinar sem bater? 57

Como fazer nossos filhos assumirem as conseqüências de seus atos 63

Como não perder a autoridade ao disciplinar 77

À medida que passam os anos, a criança apresenta novas necessidades, por isso... 83

Necessidades e desejos 87

Entre 1 e 4 anos 95
• Necessidades 97
• Tarefas dos pais 99
• Como lidar com problemas de comportamento 103
• Evitando crises em locais públicos 107

Entre 5 e 7 anos   111
- Necessidades   113
- Tarefas dos pais   115
- Técnicas a serem usadas   123

Entre 8 e 11 anos   129
- Necessidades   131
- Tarefas dos pais   133

Na adolescência   141
- Necessidades   143
- Tarefas dos pais   145

Tudo isso posto...   157

Limites dos pais   161

Bibliografia   171

Limites, sim ou não?

Antigamente, ninguém sequer discutia o assunto.

Criança não sabia e, portanto, precisava aprender. E nós, adultos, tínhamos de ensinar. De maneira que, por exemplo, quando o menino fazia algo errado, respondia mal à vovó, agredia um coleguinha ou não queria fazer o "dever de casa" os pais não tinham dúvidas — agiam, corrigiam, "davam castigo" — muitos até batiam!!! (Lá em casa, temos guardada uma aterrorizante e incrível palmatória — que meu marido, um belo dia, conseguiu com a ex-professora primária do meu sogro, para figurar na sua coleção de antiguidades... com o caráter especialíssimo de ter sido usada no avô dos meus filhos, quem haveria de crer hoje?)

Com as mudanças ocorridas durante o século XX, tanto no campo das relações humanas como no da educação, as pessoas foram aprendendo a respeitar as crianças, entendendo que elas têm, sim, querer (há pouco mais de três décadas nossos pais diziam com toda segurança "criança não tem querer", quem não lembra?), gostos, aptidões próprias e até indisposições passageiras — exatamente como nós, adultos.

Com isso, sem dúvida, muita coisa melhorou para as crianças — e, claro, para nós adultos também. O relacionamento entre pais e filhos ganhou mais autenticidade, menos autoritarismo. O poder absoluto dos pais sobre os filhos foi substituído por uma relação mais democrática. E o entendimento cresceu... Todos ficaram felizes...

Será? Será que as coisas aconteceram assim de forma tão harmoniosa, com todos?

Na verdade, não. Em muitos casos, surgiram problemas, porque ocorreram uma série de enganos e distorções em relação a essa nova forma de relacionamento familiar.

E por quê? Será que essas novas teorias estavam, afinal, erradas? Em parte sim e em parte não. O problema maior que ocorreu — e ainda vem ocorrendo — é que muitos pais estão tendo sérias dificuldades para colocar em prática essa nova forma de educar, que é de fato muito mais difícil.

Como saber a hora de dizer *sim* e a hora de dizer *não*? Aliás, perguntam-se, aflitos, muitos pais, há, de acordo com essas novas teorias, realmente uma hora para dizer *não*? Negar alguma coisa para os filhos parece um crime, um verdadeiro pecado atualmente, ou, no mínimo, um ato autoritário, um modelo antiquado de educar. Afinal, tantas obras publicadas indicam tudo que não se deve fazer e tão poucas oferecem realmente uma diretriz para clarear o caminho de quem quer bem orientar os filhos...

Muitos papais e mamães ficam em sérias dificuldades ao tentarem colocar em prática aquelas idéias tão lindas que tinham em mente ao iniciarem o longo e delicado caminho da formação das novas gerações: "comigo vai ser tudo diferente; não vou ser igual aos meus pais em nada...", afirmam, convictos. Cheios de boas intenções lá vão eles e... de repente, as coisas deixam de ser tão simples e fáceis. Ao contrário. O dia-a-dia parece se tornar muito, mas muito complicado mesmo. Ai, meu Deus, o que fazer?

Aquele relacionamento ideal, perfeito, em que a mamãe, com todo carinho (e com toda razão), explica (sem nenhum autoritarismo e cheia de compreensão), que aquele CD que o filhinho arranhou, tão inocentemente, tadinho — não era para ser riscado... mas, mesmo com toda conversa, com todo afeto demonstrado e outras tantas racionais explicações, o CD foi arranhado, sim. E não apenas um, mas vários! Explicado assim, com tanto carinho e amor, deveria ter funcionado, afinal usou toda a psicologia, não foi?... Então, o que está acontecendo? Depois de falar, explicar, sorrir, explicar de novo, acariciar, entender, compreender — tudo, tudo, conforme manda o figurino da nova educação — não é que parece que seu doce filhinho não entende o diálogo? Pois, afinal, não se foi para o lixo toda a ma-ra-vi-lho-sa coleção de CDs do maridinho?... Como é que pode? E agora?

Onde foi que eu errei? perguntam-se, desesperados, os pais. Afinal, conversam, explicam, não agridem, não impõem, não batem, não castigam... e, no fim, a vida está virando um verdadeiro inferno, quanto mais fazem, mais os filhos querem que se faça, já não sabem mais o que dizer, como agir, estão desesperados! Um belo dia, percebem-se, admirados, a dizer "no meu tempo não era assim", aquela frase odiável que ouviram tantas vezes e, agora, quem diria, eles próprios a estão dizendo, e o que é pior, resolveram "virar a mesa", estão castigando os filhos, berrando, se escabelando, irritados, perdidos...

Parece o fim do mundo? Parece. Mas, felizmente, não é.

Já dizia Aristóteles, um filósofo que viveu muito antes de Cristo, "a justiça está no meio-termo". Ou seja, o que ocorreu foi que, no afã de atender aos reclamos da moderna pedagogia e da psicologia, os pais perderam um pouquinho o rumo — e, sem querer, exageraram na dose — quiseram tanto acertar que, por vezes, erraram.

Mas, calma, nada que não tenha remédio! Algumas regras básicas são suficientes para colocar a casa em ordem e a vida em paz!...

E é exatamente o que vamos fazer aqui: explicar com clareza e objetividade como ser um pai moderno — sem perder a autoridade, sem deixar que os filhos cresçam sem limites e sem capacidade de compreender e enxergar o outro — habilidades básicas e essenciais para quem deseja criar cidadãos, seres humanos capazes de praticar o humanismo com a mesma naturalidade com que respiram!

Para possibilitar o surgimento desse ser humano maravilhoso é necessário que os pais tenham certeza de uma coisa: dar limites é importante. Não pode haver dúvidas quanto a isso. Antes de começar é preciso pensar — e decidir.

É fundamental acreditar que dar limites aos filhos é iniciar o processo de compreensão e apreensão do outro (atualmente muita gente acredita que o limite provoca necessariamente um trauma psicológico e, em conseqüência, acaba abrindo mão desse elemento fundamental na educação). Ninguém pode respeitar seus semelhantes se não aprender quais são os seus limites — e isso inclui compreender que nem sempre se pode fazer *tudo que se deseja na vida*. É necessário que a criança interiorize a idéia de que poderá fazer muitas, milhares, a maioria das coisas que deseja — mas nem tudo e nem sempre. Essa diferença pode parecer sutil, mas é fundamental. Entre satisfazer o próprio desejo e pensar no direito do outro, muitos tendem a preferir satisfazer o próprio desejo, ainda que, por vezes, prejudique alguém. Porque, afinal, nem sempre o que se deseja é útil e correto socialmente, querem ver?

– Pode morder e arrancar os cabelos do amiguinho só porque ele pegou seu brinquedo favorito? Não, é claro.

– Pode dar vontade de entupir o vaso sanitário da escola com papel higiênico? Não, não pode.

– Pode dar vontade de jogar uma mesa do segundo andar de um prédio, só para ver o que acontece com o chão, lá embaixo? Não, não pode.

– Pode dar vontade de pichar as paredes branquinhas do prédio novo lá da praça? Não, não pode não.

– Pode dar vontade de dirigir, depois de beber duas doses de uísque? Não, não pode.

– Pode dar vontade de correr como o vento na nova bicicleta de vinte marchas e nem ao menos reduzir um pouco, ao vislumbrar uma velhinha atravessando a pista? Não, mas acontece... e a cada dia mais...

– Pode dar vontade de pegar aquela bolsa lindinha e nova que a amiga comprou e levar para você? Também não pode não.

– Pode fingir que não percebeu que a conta do restaurante veio totalizada a menos e não falar nada? Não, não e não!

– Pode dar uma facada na namorada que o deixou por outro? Jamais! Porém acontece!

— Pode dar vontade de jogar álcool no mendigo e atear fogo, só de brincadeirinha? Não, não pode.

Mas só vai responder "não, não pode não" quem desde pequenino tiver aprendido que muitas coisas podem, e muitas outras não podem e não devem ser feitas, mesmo que dêem muita vontade ou prazer. E tudo bem. Somos felizes assim, respeitando e tendo algumas regras básicas na vida. Especialmente se aprendemos a amar o outro e não apenas a nós próprios.

E, nós, os pais, queremos muito ver nossos filhos crescendo no rumo da felicidade, não queremos? Então temos de ajudá-los nisso. Porque ninguém, ao vir ao mundo, sabe o que é certo e o que é errado. O ser humano, ao nascer, não tem ainda uma ética definida. E somos nós, especialmente nós, os pais, que temos esta tarefa fundamental e espetacular — passar para as novas gerações esses conceitos tão importantes e que conferem ao homem sua humanidade.

Então, se estamos todos de acordo, mãos à obra! Vai valer a pena!

Dar limites é...

- ensinar que os direitos são iguais para todos;
- ensinar que existem OUTRAS pessoas no mundo;
- fazer a criança compreender que seus direitos acabam onde começam os direitos dos outros;
- dizer "sim" sempre que possível e "não" sempre que necessário;
- só dizer "não" aos filhos quando houver uma razão concreta;
- mostrar que muitas coisas podem ser feitas e outras não podem ser feitas;
- fazer a criança ver o mundo com uma conotação social (con-viver) e não apenas psicológica (o meu desejo e o meu prazer são as únicas coisas que contam);
- ensinar a tolerar pequenas frustrações no presente para que, no futuro, os problemas da vida possam ser superados com equilíbrio e maturidade (a criança que hoje aprendeu a esperar sua vez de ser servida à mesa amanhã não considerará um insulto pessoal esperar a vez na fila do cinema ou aguardar três ou quatro dias até que um chefe dê um parecer sobre sua promoção);
- desenvolver a capacidade de adiar satisfação (se não conseguir emprego hoje, continuará a lutar sem desis-

tir ou, caso não tenha desenvolvido esta habilidade, agirá de forma insensata e desequilibrada, partindo, por exemplo, para a marginalidade, o alcoolismo ou a depressão);

- evitar que seu filho cresça achando que todos no mundo têm de satisfazer seus mínimos desejos e, se tal não ocorrer (o que é o mais provável), não conseguir lidar bem com a menor contrariedade, tornando-se, aí sim, frustrado, amargo ou, pior, desequilibrado emocionalmente;

- saber discernir entre o que é uma necessidade dos filhos e o que é apenas desejo;

- compreender que direito à privacidade não significa falta de cuidado, descaso, falta de acompanhamento e supervisão às atividades e atitudes dos filhos, dentro e fora de casa;

- ensinar que a cada direito corresponde um dever e, principalmente...

- dar o exemplo (quem quer ter filhos que respeitem a lei e os homens tem de viver seu dia-a-dia dentro desses mesmos princípios — ainda que a sociedade não tenha apenas indivíduos que agem dessa forma)!!!!

Dar limites não é...

- bater nos filhos para que eles se comportem (quando se fala em limites, muitas pessoas pensam que significa aprovação para dar palmadinhas, bater ou até espancar);
- fazer só o que vocês, pai ou mãe, querem ou estão com vontade de fazer;
- ser autoritário (dar ordens sem explicar o porquê, agir de acordo apenas com seu próprio interesse, da forma que lhe aprouver, mesmo que a cada dia sua vontade seja inteiramente oposta à do outro dia, por exemplo);
- deixar de explicar o "porquê" das coisas, apenas impondo a "lei do mais forte";
- gritar com as crianças para ser atendido;
- deixar de atender às necessidades reais (fome, sede, segurança, afeto, interesse) dos filhos, porque você hoje está cansado;
- invadir a privacidade a que todo ser humano tem direito;
- provocar traumas emocionais (toda criança tem capacidade de compreender um "não" sem ficar com problemas, desde que, evidentemente, este "não" tenha razão de ser e não seja acompanhado de agressões fí-

sicas ou morais. O que provoca traumas e problemas emocionais é, em primeiro lugar, a falta de amor e carinho, seguida de injustiça, violência física (bater nos filhos é uma forma comum de violência física, que, em geral, começa com a palmadinha leve no bumbum), humilhações e desrespeito à criança.

*Dar limites não é
ser autoritário...*

Algumas pessoas acham que dar limites aos filhos é uma questão de opção, mas essas pessoas não sabem que há uma progressão de problemas que podem derivar da falta de limites.

Ao contrário do que parece a quem nunca teve filhos, educar uma criança é um processo muito, muito complexo, com situações totalmente inesperadas para a maioria dos pais, que nem sonhavam em ter tanto trabalho, todo dia, todas as horas do dia.

De maneira geral, a criança não aceita logo nem as explicações que a nós, adultos, nos parecem as mais claras, límpidas e, portanto, as mais simples de serem atendidas. Mas, como nem o que é mais límpido e claro é atendido imediatamente — muito pelo contrário, às vezes você repete anos a fio um mesmo e simples objetivo até alcançá-lo —, o que ocorre é que, ao ouvir falar em limites, muita gente interpreta logo como licença para exercer uma postura autoritária, de controle total ou até violência... Realmente é difícil saber quando acaba a autoridade e quando começa o autoritarismo.

Para ajudar, lembre: autoritário é aquele que exerce o poder utilizando como referencial apenas o seu ponto de vista (que é sempre visto como o único correto), a força física ou o poder que lhe confere sua posição ou o cargo que ocupa, nunca levando em conta o que o outro deseja ou pensa. Também poucas vezes age em prol do bem do outro, o que conta o mais das vezes é o seu próprio interesse. Assim, um pai autoritário é aquele que não deixa o filho entrar na sala porque naquele dia ele está de mau humor, mas num outro, de bem com a vida, não só permite como até exige a presença do menino...

O pai que tem autoridade, por outro lado, ouve e respeita seu filho, mas pode, por vezes, ter de agir de forma mais dura do que gostaria, às vezes até impositivamente, mas sempre o objetivo será o bem-estar do filho, protegê-lo de algum perigo ou orientá-lo em direção à cidadania.

O que queremos mostrar aqui é que, se agirmos com segurança e firmeza de propósitos, mas com muito afeto e carinho, poderemos atingir nossos objetivos educacionais sem autoritarismo e, muito menos, sem bater uma vez sequer nos nossos filhos.

Em outras palavras, dar limites absolutamente não se choca — nem é o oposto, como muitos pensam — com dar amor, carinho, atenção e segurança.

O que pode acontecer quando não se dá limite

A criança que não aprende a ter limites para o seu querer, para os seus desejos e vontades, que tudo quer e tudo pode, tende a desenvolver um quadro de dificuldades que se vai instalando passo a passo, como se segue:

1ª ETAPA

Descontrole emocional, histeria, ataques de raiva

É normal nà criança pequena (até uns 5 a 6 anos, no máximo).

Quando nasce, a criança é hedonista (vive em busca do prazer e da satisfação imediata de seus desejos e necessidades) e egocêntrica (o bebê e a criança pequena têm a idéia mítica de que o mundo gira em torno deles próprios, de que todas as pessoas e coisas existem apenas para a satisfação de seus desejos).

Além dessas duas características — normais, é bom ressaltar —, ela também não tem ainda nenhuma noção de valores. Não sabe — e nem pode saber — o que é certo ou errado. Espera-se que cada papai e mamãe, ainda que intuitivamente, tenha consciência disso e, portanto, encarregue-se de, paulatinamente, ir mostrando aos filhos, em todas as ocasiões, mas especialmente pelo seu próprio modo de ser e viver, o que se pode e o que não se pode fazer numa sociedade. Afinal, vivemos num mundo regulamentado (felizmente, aliás...) e quem não segue as leis pode sofrer sanções. Quem não percebe essa realidade simples pode acabar muito mal na vida — emocionalmente, profissionalmente —, em tudo. Cabe aos pais ir, pouco a pouco, levando esses conhecimentos aos filhos. Aos pais em primeiríssimo lugar, porque é sua responsabilidade — e responsabilidade não se delega —, além do que, acredito que nenhum pai queira incumbir a outros a formação ética dos filhos.

É certo que a escola é uma instituição que muito irá colaborar com os pais nesse sentido, mas nunca os poderá substituir.

Quando os pais trabalham adequadamente nesse sentido e, a cada oportunidade que surge, calmamente (às vezes nem tão calmamente como gostariam, porque é mesmo cansativo e repetitivo educar...), estabelecem limites — isto é, concordando e incentivando as atitudes positivas e criticando as negativas —, com o passar de alguns anos, a criança terá aprendido as regras básicas de convivência e iniciado de forma sólida o processo de socialização (prontidão para conviver).

Quando, porém, por insegurança, culpa ou medo de serem antiquados ou autoritários, os pais deixam de exercer essa atividade importantíssima, o que ocorre? De uma maneira geral, a tendência é que a criança comece a apresentar dificuldades em aceitar qualquer tipo de limite a seus desejos.

Exemplificando: um bebê quando está com fome, nos primeiros meses de vida, chora sem parar até que a mãe ofereça o peito; aos poucos, com o passar do tempo, ele vai apenas choramingar ou demonstrar agitação à vista do seio ou da mamadeira, mostrando que já reconhece que a alimentação está próxima. Pouco a pouco, o bebê abandona o choro descontrolado e adota posturas mais brandas ao comunicar suas necessidades. Com 1 ano de idade a criança já sabe pedir, ainda que rudimentarmente, ou, ao menos, apontar a mamadeira, deixando de lado os esquemas mais primitivos de comunicação. O filho do homem cedo compreende que a palavra é um meio de comunicação muito eficiente. É natural, portanto, que se desenvolva no sentido de conversar, pedir, solicitar, em vez de gritar, berrar, espernear...

Às vezes, a criança não entende isso por si só. Cabe aos pais, então, fazê-la compreender. Quando seu filho está aprendendo a andar, naturalmente você tende a ajudá-lo, apoiando-o, dando-lhe a mão, incentivando-o a caminhar, andando a seu lado para que se sinta protegido, estendendo os braços para que ele venha a seu encontro. Perfeito! Você faz isso uma, duas horas por dia. Isso não significa, no entanto, que quando interromper esse momento encantado e seu filhinho mostrar seu desagrado, chorando, gritando ou resmungando, você vai ter de passar os próximos meses fazendo o mesmo, até que ele possa andar sozinho com segurança.

A criança que não é orientada pelos pais e é atendida em tudo sempre que chora e esperneia tende a perpetuar esse tipo de conduta. Ela já está aprendendo a alongar seus limites e iniciando o processo de controlar o mundo através, primeiramente, do grito e, talvez depois, pela violência ou agressão. E, convenhamos, o que se pode compreender e aceitar com toda a tranqüilidade num bebê ou numa criança de até 3, 4 anos começa a ficar no mínimo incômodo aos 6 ou 7.

Espera-se, portanto, que os pais atuem de forma a que a civilidade vá substituindo os atos que a criança tem no início da vida, até por não conhecer outras formas de agir.

2ª ETAPA

Dificuldade crescente de aceitação de limites

Sem orientação e sendo atendida sempre que grita, bate, quebra coisas, esperneia ou xinga, a criança vai adotando essa mecânica como forma de comunicação e controle do mundo e das pessoas. Quando começa a ir à escola, por exemplo, tende a não aceitar restrições às suas ações: se quer ir brincar no pátio na hora em que crianças maiores lá estão e, por isso, é vedada a ida dos menorezinhos, ela apronta um escândalo, chora, grita, agride, chuta até ser atendida.

Se, ao contrário, uma criança joga o prato de comida longe, porque não quer mais comer o mingau, e a mamãe, com carinho, mas com firmeza, adota um ar desaprovador e fala calmamente "isso não está certo, quando você não quiser mais, não coma, mas não jogue no chão", ela entenderá que esta é uma ação que a mamãe não aprova (mais tarde, compreenderá que a sociedade também não). Se, a cada vez que ela tiver atitudes desse tipo, a mamãe agir da mesma forma, aos poucos a tendência é que ela vá deixando de lado essa atitude, assumindo outra que lhe dê um retorno afetivo positivo. Nenhuma criança gosta de receber um olhar aborrecido ou desaprovador, se pode receber sorrisos e aprovação.

Então, não é fácil? É só aprovar tudo que seu filho fizer de bom — sem nunca esquecer *realmente* de aplaudir o bom, o positivo. E de reprovar (reprovar não é agredir, bater ou humilhar) e não estimular as atitudes negativas, destrutivas ou agressivas. Mas, lembre-se, esse processo é muito, muito longo... não espere resolver tudo em duas semanas — nem em um ano!

Educar envolve um novo desafio a cada dia. Cada situação tende a se repetir muitas e muitas vezes, transmudada em outras formas, porém com a mesma essência. Muitos pais hoje são tão imediatistas quanto seus filhos — querem tudo para hoje, para já, para agora. E, em educação, não dá para ser assim. Há que se repetir, com calma, centenas e milhares de vezes a mesma coisa, para funcionar...

O ser humano, por natureza, tem o desejo de sentir-se amado, aprovado, elogiado. Portanto, temos de aproveitar esse aspecto em prol da boa formação de nossas crianças. Quando o elogio vem da mamãe ou do papai então... aí mesmo é que elas dão o maior valor!

A regra, portanto, é simples — premiar e recompensar as atitudes positivas e ignorar ou reprovar as negativas. Isso se não quisermos, para começo de conversa, ver nossos filhos quebrando enfeites e brinquedos, agredindo os amiguinhos e, à medida que crescem, violando regras sociais ou insultando parentes, professores e autoridades em geral.

3ª ETAPA

Distúrbios de conduta, desrespeito aos pais, colegas e autoridades, incapacidade de concentração, dificuldade para concluir tarefas, excitabilidade, baixo rendimento

Vamos recapitular: a criança nasceu, foi cercada de carinho, atenção e afeto. Isso é positivo e não pode faltar nunca — o AMOR. Mas, por outro lado, também foi atendida em tudo, houvesse ou não fundamento para seu desejo. E assim foi crescendo, crescendo e ficando a cada dia mais distanciada da realidade. O mundo se tornou, para ela, seu escravo. Pai, mãe, avós, vizinhos, amigos — todos — só existiam para satisfazer suas necessidades. Assim, ela percebeu que podia interromper aos gritos quem estivesse falando; comprar todas as roupas e brinquedos que desejasse; comer os chocolates que quisesse na hora que quisesse; praticamente arrombar a porta do quarto do papai e da mamãe se a encontrasse fechada; dormir na cama da mamãe todas as noites e até empurrar o papai para fora, caso assim lhe aprouvesse; tomar banho só na hora ou no dia que resolvesse; ir à escola só se estivesse com vontade; estudar só se não tivesse nada melhor para fazer; cumprir as tarefas escolares à noitinha quase caindo de sono, após ter jogado futebol, andado de bicicleta, brincado com seus joguinhos eletrônicos, navegado na Internet etc. No início, isso foi maravilhoso (para ela e para os pais, que achavam que estavam lhe dando muito amor)... É compreensível que uma criança que teve, durante anos, tantas benesses lute com unhas e dentes para não mudar essa realidade. Afinal, seguindo a lógica infantil (e a de muitos adultos também...), fazer só o que se quer é muito mais agradável do que fazer o que se deve.

E, ao final de sete ou oito anos, os pais percebem que criaram uma pessoinha com uma visão distorcida do mundo e que, agora, muitos amigos, vizinhos e até alguns parentes estão evitando convidar para festas, almoços, preferindo não conviver com alguém tão cheio de vontades e que, afinal, acaba se tornando desagradável se não for atendido integralmente... Então esse papai e essa mamãe entreolham-se, assustados, porque por vezes nem mesmo eles agüentam mais aquela criança que, no início, achavam tão lindinha, "tão cheia de personalidade", mas agora, neste exato momento, estão achando sua própria vida difícil de ser vivida em companhia desse reizinho, eternamente insatisfeito, *mandão* e pronto para brigar todo o tempo... Um verdadeiro tirano. E o que é pior: não têm mais autoridade sobre ele, não conseguem convencê-lo a estudar, a falar educadamente com os mais velhos, a respeitar fila, a tolerar pequenos desgostos, os professores queixam-se dele, chamam-nos a toda hora à escola, seu rendimento escolar está baixando a cada mês, não se concentra, não faz os deveres, não obedece... vizinhos vêm a sua casa e acusam seu menino, agora com 11 anos, de ter arranhado o carro novo na garagem ou de ter jogado a bicicleta propositadamente na coleguinha que atravessava o *playground*... meu Deus, socorro!

Exagero? De forma alguma. A criança que não aprende a ter limite cresce com uma deformação na percepção do outro. Só ela importa, o *seu* querer, o *seu* bem-estar, o *seu* prazer. O egocentrismo, natural nos primeiros anos, mas que deve diminuir, nesses casos, nessa etapa, está exacerbado, só cresce.

As conseqüências são muitas e freqüentemente bem graves:

- desinteresse pelos estudos
- falta de concentração
- falta de capacidade de suportar quaisquer mínimas dificuldades
- falta de persistência
- desrespeito pelo outro — colegas, irmãos, familiares e pelas autoridades em geral.

Com freqüência essas crianças são confundidas com as que têm a síndrome da hiperatividade verdadeira, porque, de fato, iniciam um processo que pode assemelhar-se a esse distúrbio neurológico. Na verdade, tudo na atitude da criança pode levar a esse diagnóstico, muito embora, no caso em questão, seja muito mais provável tratar-se da hiperatividade situacional. Quer dizer, de tanto poder fazer tudo, de tanto ampliar seu espaço e sem aprender a reconhecer o outro como um ser humano com necessidades e direitos tal como ela, essa criança tende a desenvolver características de irritabilidade, instabilidade emocional, redução da capacidade de concentração e atenção, derivadas, como vimos, da falta de limite, da incapacidade crescente de tolerar frustrações e contrariedades.

Em resumo, aquilo que, nos primeiros meses e anos da vida, pode parecer apenas engraçadinho, interessante e até afetivo, "sinal de amor" como pensam alguns (deixar sem orientação e sem limites), acaba levando a criança exatamente ao pólo oposto ao desejado: tentando evitar traumas psicológicos, os pais estarão, dessa forma, com muita probabilidade, propiciando sérios problemas num futuro nem tão distante.

4ª ETAPA

Agressões físicas se contrariado, descontrole, problemas de conduta, problemas psiquiátricos nos casos em que há predisposição

Se você já tinha ficado preocupado quando falamos da terceira etapa, imagino que tenha ficado bem mais agora. E com toda razão!

Se os pais agem quando a criança está ainda na primeira etapa (aquela dos ataques histéricos — também chamados de "pitis" no meio médico —, da gritaria) — que é, como vimos, uma etapa natural do desenvolvimento e da aprendizagem da convivência — com o tempo e a ação segura, porém afetiva dos pais, a criança vai aprendendo a se conduzir na sociedade, vai internalizando valores, vai adquirindo respeito por si e pelos outros, vai treinando a difícil arte do diálogo, vai experimentando lutar pelos seus direitos, sem necessidade de agredir, nem chegar berrando, desrespeitando ou ofendendo os outros, enfim... vai vivenciando o que é a arte de conviver harmônica e civilizadamente numa sociedade.

Prosseguindo nessa linha, suponhamos que os pais não ajam na primeira nem na segunda etapa — aquela da dificuldade de aceitar limites de forma crescente. A tendência, por conseguinte, é que a criança comece a ter problemas de comportamento e de ajuste social, o que já é um problema bem complexo, e nem tão fácil de resolver.

Se além de tudo isso acrescentarmos ainda uma personalidade agressiva, com baixa auto-estima, insegurança pessoal ou com potencial genético para desenvolver certos quadros de doença psiquiátrica, então a situação pode realmente ficar dramática.

Qual de nós não se horrorizou com as recentes notícias de jovens adolescentes que se armam e saem matando pais, amigos, colegas de escola, como os fatos que ocorreram nos EUA? Qual de nós não se sentiu francamente descrente da humanidade quando cinco jovens em Brasília, de classe média, saindo de uma festa, com tudo para viverem satisfatoriamente, atearam fogo a um homem que dormia no chão, o infelizmente "famoso caso" do índio pataxó? Quem, dentre nós, não se indaga o porquê de tanto aumento nas estatísticas criminais envolvendo jovens de classe média e alta (em torno de 300% de incremento nos últimos dez anos)?

Se refletirmos sobre essas quatro etapas que acabei de descrever, entenderemos que há uma relação direta entre a falta de limites e essa forma distorcida de ver o mundo, que pode levar à marginalização, ao álcool e às drogas. Seria mais ou menos como se jovens criados dessa forma pensassem: "o mundo existe para o meu prazer, para o meu deleite (aprenderam isso por terem pais que dizem sim a tudo, superprotegem e não desenvolvem responsabilidade); todos devem fazer o que eu quero e gosto; quem não gosta de mim ou não faz o que eu quero, como eu quero, na hora que eu quero, é indigno de viver, é meu inimigo". Isso explica (em parte, evidentemente) por que os jovens de Brasília afirmaram "nós só queríamos nos divertir" como justificativa para incendiar uma pessoa; ou os dois adolescentes que entraram em sua escola, nos EUA, munidos de metralhadoras e granadas matando quatorze pessoas entre colegas e professores, terem dito antes de praticarem suicídio: "aqui ninguém gosta de nós"; terrível, não é? Sem entrarmos na discussão sobre a existência de algum componente psiquiátrico que justificasse (será que justifica?) sua conduta, o que nos importa é alertar para o fato de que, certamente, um dos elementos que contribuem para tais atos é a percepção equivocada do mundo. Terá o mundo que se adaptar a nós, amando-nos e atendendo-nos em todos os nossos desejos, ou teremos nós de entender o mundo e lutar para mudá-lo sim, no que estiver dentro de nossas possibilidades, mas também e principalmente compreendendo que o mundo reage à forma pela qual nos relacionamos com ele?

O que é importante é equiparmos nossos filhos com um instrumental de relacionamento social que lhes permita interagir positivamente com o mundo. Que eles compreendam que, se trabalharem e produzirem, poderão usufruir de suas benesses; que, por outro lado, se somente esperarem que tudo lhes chegue pronto às mãos, provavelmente terão poucas chances de conseguir o que almejam (esqueçamos, por instantes, os problemas políticos, de recessão, desemprego para nos atermos à postura diante da vida); se são amáveis e respeitosos, terão esse mesmo tratamento em troca (nem sempre, é verdade, mas o mais das vezes); que saibam lutar pelo que desejam, sem que isso signifique pegar uma arma e arrancar o que se quer das mãos de outros, que lutaram honestamente para consegui-lo.

São essas as lutas que temos de travar com nossos filhos, dia após dia, hora após hora, minuto após minuto. É uma tarefa árdua, longa e cansativa, porém é a melhor forma para nos levar a ter filhos cidadãos, responsáveis e conscientes de seus direitos e deveres, em vez de criaturas egocêntricas, anti-sociais, hedonistas ao extremo, sem capacidade de luta, sem tolerância à frustração e, em consequência, sem capacidade de adiar satisfação.

Por que não bater

- porque bater nada tem a ver com ensinar a ter limites, na verdade, são atitudes até opostas. Quem bate dá uma verdadeira aula de falta de limites próprios e até de covardia;
- porque existem formas infinitamente mais eficientes e humanas de manter a disciplina, com mensagens bem mais positivas do que a agressão física;
- porque, com o tempo, a famosa "palmadinha leve no bumbum", que tanta gente defende como inofensiva, deixa de surtir efeito e acaba se transformando em palmadas cada vez mais fortes e, ao final, em verdadeiras surras;
- porque só bate quem não age antes de "perder a cabeça";
- porque, mesmo obedecendo, a criança não aprende verdadeiramente, apenas deixa de fazer certas coisas por medo de apanhar;
- porque bater não resolve os problemas da relação, apenas encobre os conflitos e, ainda assim, por pouco tempo;
- porque depois, quando os pais se acalmam, sentem-se culpados e tendem a "afrouxar" de novo os limites, pa-

ra aplacar a sensação aflitiva de culpa, perpetuando a situação de conflito;

- porque bater é assinar seu próprio atestado de fracasso como educador.

O que a palmada realmente ensina é...

- a temer o maior, o mais forte ou o mais poderoso;
- a perda de interesse pela atividade que estava desenvolvendo no momento em que apanhou;
- que o comportamento agressivo é válido;
- que a agressão física é uma atitude normal e praticável (afinal se papai e mamãe estão fazendo...);
- que a força bruta é mais importante que a razão e o diálogo;
- que os pais, figuras de quem a criança espera proteção e amparo, não são confiáveis;
- que ocultar ou omitir fatos pode dar bons resultados e evitar umas "boas palmadas" — afinal, quando os pais não ficam sabendo dos erros ou faltas dos filhos, não batem;
- que de quem se espera amor podem vir pancada e agressão.

Mas como disciplinar sem bater?

• Premiando ou recompensando o bom comportamento

Sempre que a criança tiver atitudes corretas, devemos ressaltar esse fato. É bem comum que os pais, envolvidos nas atividades do dia-a-dia, com tantos problemas e a crônica falta de tempo, se esqueçam de elogiar, só lembrando de ralhar, quando os filhos fazem algo de negativo.

Assim, as crianças ficam com a sensação de que não vale a pena fazer tudo certinho: afinal, se agem de maneira adequada o mais das vezes, não recebem qualquer estímulo, às vezes, nem um simples olhar aprovador; nas outras ocasiões, porém, quando erram, o mundo parece que vai acabar: ganham palmadas, reprimendas, castigos etc., então para que se esforçar? Por isso, a melhor forma de se alcançar um objetivo educacional é elogiando, incentivando e ressaltando tudo de bom que a criança faz.

• Entendendo que premiar não é obrigatoriamente "dar coisas materiais"

Embora pareça impossível e estranho em época de grande consumismo, para a criança tem muito mais valor um carinho, um elogio sincero, o reconhecimento do esforço, do que presentes, dinheiro, viagens etc. É claro, todo mundo gosta dessas coisas — e não é pecado nenhum, desde que não sejam as únicas a que se dê valor —, porém, pelo menos enquanto não transformarmos nossos filhos em consumistas enlouquecidos, a palavra, o olhar, o amor do papai e da mamãe ainda são os melhores prêmios. Ao longo dos anos, se os acostumarmos a serem "comprados", "subornados" ou "chantageados", eles aprenderão a agir dessa forma calculista; se, ao contrário, lhes dermos nosso carinho e aprovação, eles terão seu ego fortalecido, sua auto-estima elevada e, a cada dia, sentirão mais prazer em agir de forma adequada.

- *Fazendo com que a criança assuma as conseqüências dos seus atos (positivos ou negativos)*

Com a mesma naturalidade e carinho com que elogiamos e premiamos nossos filhos, devemos conversar e agir quando eles erram, explicando, apontando e fazendo com que reflitam sobre as atitudes incorretas, antiéticas ou egocêntricas, com o cuidado de nunca relacionar uma atitude a características pessoais.

Explicando melhor: ao criticarmos alguma coisa que a criança fez de forma indevida, devemos fazê-lo com relação ao fato específico e não como se fosse algo inerente ao indivíduo ou a sua personalidade.

Por exemplo, dizer: "Meu filho, não é correto pegar o que não é seu, sem pedir antes ao dono"; e não "você é desonesto, egoísta, e quer tudo para você". Apresente o fato como algo a ser analisado, repensado e refeito, sempre dentro das possibilidades da idade e da compreensão da criança, nunca como alguma coisa imutável *no jeito de ser* da pessoa. Assim, ele não se sentirá ofendido ou humilhado. E, melhor ainda, acreditará que, mudando de atitude, tudo ficará bem. Agora, se ele começar a pensar que você, pai ou mãe, acha que ele "é um desonesto", "um desorganizado" ou qualquer outra coisa que se refira a traço de caráter, então poderá acreditar que não tem jeito mesmo. E se não tem jeito...

Se você relacionar o fato a uma característica pessoal, de antemão a criança (ou jovem) sentir-se-á derrotada, acreditando que, se ela é assim, será sempre assim, sem possibilidade de mudar. Por outro lado, se o que ocorreu lhe for apresentado como algo a ser revisto, um ato que pode ser mudado, tudo ficará mais fácil.

Mas, se toda conversa, explicação e diálogo não funcionarem e as atitudes inadequadas continuarem, então será preciso que a criança compreenda que ela é responsável pelos seus atos e também, evidentemente, pelas suas conseqüências.

É importante ressaltar que o "ato bom", o agir correto, também tem conseqüências para a criança ou o jovem — e é muito positivo que eles percebam isso —, só que com conseqüências muito agradáveis: beijos, carinhos, aprovação, estímulo, às vezes (só muito "às vezes") até um presentinho, um agrado, um bombom, uma flor...

E como se consegue essa proeza? Como se faz para a criança se responsabilizar pelos seus atos?

De forma simples — assim como premiamos as atitudes que queremos ver repetidas, devemos dar a nossos filhos sinais de que determinadas atitudes não terão aprovação dos pais e, mais importante ainda, devemos deixar claro que serão eles os responsáveis pelas conseqüências dessas atitudes.

Por exemplo: você avisou e explicou diversas vezes a seu filho que ele não poderia ver televisão antes de terminar o estudo. Por duas ou três vezes ele repetiu a atitude incorreta e, quando você chegou do trabalho, encontrou-o à frente da TV, com o estudo incompleto. Se você brigar, falar, reclamar, insistir DE NOVO, depois de ter feito isso pelo menos três vezes, vai perder terreno e autoridade e, o que é pior, seu filho não vai entender que ele tem de cumprir suas obrigações e não apenas atender ao próprio prazer. Então, você tem de fazê-lo assumir as responsabilidades do ato (CONSEQÜÊNCIA).

Como fazer nossos filhos assumirem as conseqüências de seus atos

• Usando prêmios ou recompensas

Se você elogia ou premia os atos positivos, seu filho aprende que atitudes socialmente aprovadas podem lhe trazer grande prazer. É assim que se dá início à formação do cidadão.

E não é isso que todo ser humano saudável busca? Sentir-se amado, querido e admirado? O mais alto nível de prazer não é também muito isso — ser amado?

Então não percamos oportunidades maravilhosas que acontecem todos os dias — premie seu filho, mas recompense-o especialmente com seu carinho, com seu afeto e com palavras de estímulo. Reafirme sempre suas qualidades e o quanto confia nele:

- se ele acorda e lhe dá um belo sorriso, retribua e ressalte (sem exagerar) como é bom ter uma pessoa bem-humorada em casa;
- se ele espontaneamente lhe ajuda a arrumar a mesa, mostre como isso é democrático e como você fica orgulhosa;
- se ele traz um boletim com vários conceitos excelentes e um regular, antes de mais nada, ressalte o quanto ele é capaz; somente depois per-

gunte se ele precisa de ajuda na matéria em que teve desempenho pior;

— se ele não quer escovar os dentes hoje, mostre-se surpresa: "Como um filho tão cheiroso pode não querer ficar com a boquinha perfumada?"

— se você pediu para ele lhe trazer um copo de água e ele, de bom grado, trouxe, ressalte a importância e a felicidade de ter uma família em que todos se ajudam. E assim sucessivamente...

Cada momento é bom e apropriado para um elogio discreto e adequado.

• *Lembrando que premiar é sempre melhor do que castigar*

Bater, como vimos, ensina a temer e pode até evitar algumas atitudes inadequadas. Mas a verdadeira aprendizagem só ocorre quando a criança compreende por que errou e, especialmente, quando sente que pode refazer o caminho e acertar.

Por isso insisto no prêmio, como uma forma muito boa de começar a dar limites.

É importante, porém, que se aja com equilíbrio; exageros sempre soam de forma falsa; tanto o elogio quanto o prêmio devem ser adequados à dimensão do ato. Nem de mais, nem de menos. Aquele "nhenhe-nhém" infindável que alguns pais utilizam quando falam com os filhos pode lhes parecer "alta psicologia", mas para as crianças soa como "ih, lá vêm eles de novo pensando que eu sou um bobo que se engana com esse monte de elogios, só para eu fazer o que eles querem!". Em suma, não exagere na dose. Na verdade, seja autêntico, seja verdadeiro, elogie, premie, mas não torne falsa ou artificial a relação.

Mais uma vez lembremos Aristóteles: "O equilíbrio está no meio-termo."

• *Acreditando que responsabilização (ou conseqüência) pode ser necessária algumas vezes*

Quem tem filhos sabe que, mesmo elogiando e ressaltando qualidades, nem sempre tudo correrá às mil maravilhas, nem sempre eles agirão da forma pela qual orientamos.

Aliás, para ser bem franca, o mais das vezes a convivência com crianças e jovens é uma verdadeira luta, em que os pais têm de estar permanentemente atentos e vigilantes. Todas as nossas vitórias acontecem em meio a muitas e muitas renúncias, a uma inesgotável capacidade de controle emocional e, principalmente, devido à segurança de objetivos.

Por isso, deve ficar claro, desde cedo, para a criança ou o jovem, o que pode e o que não pode ser feito. Quais as regras do jogo.

Muitos pais não fazem idéia do quanto essa explici-
tação pode ajudar.

É muito mais saudável para uma criança ficar sabendo, desde logo, coisas como:

- com comida não se brinca
- no computador do papai não pode mexer
- na bolsa de trabalho da mamãe não pode
  mexer
- para a varanda só pode ir acompanhado
- descer para jogar futebol, só depois de fazer
  o trabalho de casa e estudar
- ir à escola não é escolha, é obrigação.

(Observação: Nada disso dá trauma!...)

Estabelecendo algumas regras, já começamos a deli-
near limites, deixando evidentes quais são eles. Com
isso, se houver transgressão nunca será por ignorar o
que pode e o que não pode ser feito. Assim, evita-se
muito aborrecimento. E perda de tempo.

Cuidado, porém, para não exagerar. As regras não precisam e não devem ser apresentadas todas de uma vez,
como um tratado ou um contrato. À medida que as
coisas aconteçam, diga que não ou que sim, conforme
o caso.

Por exemplo: está chovendo e sua filhinha não pode ir
brincar no *play*. Então, enquanto você faz suas tarefas

na cozinha, ela abre o armário e começa a tirar latas de mantimentos, sacos de arroz e panelas. Imediatamente, aja. Com carinho — porém com muita firmeza — diga: "Isso não é para brincar, é para comer. (Explicou, não foi autoritária, certo? Tenha certeza, isso não dá trauma.)" E logo em seguida: "Vamos ao seu quarto escolher alguns brinquedos e trazer para você ficar brincando enquanto mamãe prepara o almoço, está bem, querida?" E vá! É pelo jeito de falar da mamãe ou do papai que a criança compreende se pode ou não barganhar. Na maioria das vezes, a tendência é protestar e não aceitar logo. Portanto, prepare-se para repetir mais uma ou duas vezes, porém com a mesma firmeza. NÃO FRAQUEJE, REPITA, SEM ALTERAR A VOZ NEM O COMPORTAMENTO. Ao mesmo tempo em que já está no quarto e — o que funciona melhor — dando-lhe uma opção de escolha e decisão: "Quais os brinquedos que você quer levar conosco?" Você deu limites, mas também mostrou que ela pode fazer opções. Respeitou-a e se respeitou. Ajudou-a a crescer e a ser independente, mas também e, principalmente, investiu numa atitude cidadã. Afinal, quem é que precisa estragar comida, com tanta fome no mundo, para ser feliz? Ninguém, não é mesmo? Seu filho aprende então que "algumas coisas podem ser feitas e outras não podem ser feitas". Simples assim. ISSO É DAR LIMITES, CONSTRUINDO CIDADÃOS.

• Cumprindo e fazendo cumprir as regras

Estabelecida uma regra, não abra mão. A não ser que perceba que se tornou anacrônica ou inapropriada. Por exemplo, você estabeleceu dar uma revisada diária nos cadernos do seu filho ao chegar do trabalho, para avaliar se ele fez os deveres, se entendeu a matéria, se caprichou. Mas essa regra, criada quando ele tinha 6 anos, pode ficar anacrônica aos 9, ou aos 11 anos e, então, a mudança se torna necessária. Não esqueça de comunicar-lhe a alteração e o motivo: explique que não há mais necessidade de fazer isso, porque ele cresceu e, especialmente, porque você tem visto o quanto ele é responsável na escola. Ponto para você, que lhe ensinou flexibilidade, e para ele, que viu seus esforços recompensados! Entretanto, não confunda a flexibilidade gerada por um fato e uma análise do fato com tibieza ou fraqueza.

Mas, voltando às regras, se em uma dada situação a criança insistir em não cumprir o que foi previamente combinado, então será necessário que ela arque com as conseqüências da sua decisão. É assim que se vai ensinando responsabilidade. Fazendo com que desde cedo nossos filhos assumam as conseqüências dos seus atos. Se você já está pensando "ah, tadinho! Tão pequenininho!", esqueça. Isso é culpa e insegurança. Lembre-se, nosso objetivo é ter filhos que nos dêem orgulho, que saibam respeitar os outros, que sejam cidadãos. Então, nada de "peninha" sem razão de ser!

Os atos dos nossos filhos por vezes nos parecem tentativas de nos irritar, mas não são. São tentativas de compreender o mundo, de organizar-se frente a ele. Portanto, vamos ajudá-los, que isso não é nada fácil!

Assim, voltando ao exemplo anterior, se, mesmo explicando com firmeza e carinho e ainda, dando outras opções de escolha de brinquedos dentre os inúmeros que tem, sua filha insiste em espalhar cereais pelo chão da cozinha, é hora de agir. Encerre a questão estipulando uma CONSEQÜÊNCIA, por exemplo: "Mamãe explicou, mas você não agiu do jeitinho que deveria, então vamos já, neste momento, juntar o feijão e o arroz, cada um em uma bacia e depois você vai direto para o seu quarto ficar lá brincando até que a mamãe possa acabar de preparar a comida. Você não quer que o papai, eu, você e os maninhos fiquem com fome, não é? Então, ficará brincando no quarto, até aprender a se comportar na cozinha e a não mexer no que não pode."

E EXECUTE...

A conseqüência não precisa — e não deve — ser extremada nem terrível. No exemplo citado, apenas a privação da companhia da mãe é suficiente. Acompanhada de uma explicação simples e compreensível para a idade da criança.

Mas atenção: nada de falar sem parar, nem de ficar explicando mil vezes a mesma coisa. Apenas aja. Com firmeza, justiça e equilíbrio. Mas sem remorsos ou gritaria.

• *Lembrando que prêmios e recompensas podem não ser coisas materiais*

Ao definir um prêmio ou uma recompensa, lembre-se, em primeiro lugar, de que geralmente o que é prêmio para um adulto pode bem ser um castigo para uma criança (e vice-versa). Por exemplo: levá-la a um ótimo restaurante onde ela não pode nem ao menos caminhar ou correr acaba mais como castigo do que como prêmio; já uma ida ao Jardim Zoológico é um ótimo prêmio (mesmo que seja um castigo para você).

Às vezes nos sentimos traídos porque pensamos estar dando "o melhor" para a criança e ela, irritada por estar numa situação inapropriada para sua idade e necessidades, evidentemente começa a reagir de forma que nos parece uma ingratidão. Em resposta nos irritamos e o desentendimento torna-se quase inevitável. Então, ao premiar, não esqueça de ter a sensibilidade de escolher algo que realmente a deixe feliz e recompensada.

Por outro lado, se você não quer que seu filho troque bom comportamento por consumismo ou utilitarismo, lembre-se de que, especialmente com as crianças pequenas, até por volta de 10, 11 anos, o melhor presente ainda é — VOCÊ, MAMÃE, OU VOCÊ, PAPAI.

Algumas idéias que podem ajudar:

Prêmios que fazem crescer a auto-estima e o amor

- abraço de corpo e alma
- beijo estalado
- sorriso-verdade
- elogio verbal, simples e direto
- relato casual, sem exageros, do fato positivo para outros membros da família num momento em que estejam reunidos — irmãos, pai, avós, tios; isso faz um bem enorme à auto-estima e incentiva a repetir atos semelhantes
- um bilhetinho afetuoso, com elogios relacionados ao fato etc.

Prêmios que agradam muito, sempre

- uma saída para um jogo de futebol, só você e seu filho
- almoçar num restaurante no domingo e deixar que o premiado escolha o local
- fazer companhia a ele no fim de semana, num programa que ele escolha
- convidar um ou dois amiguinhos "prediletos" para passar a tarde do sábado com seu filho; fazer pipoca, brigadeiro, coisinhas que as crianças adoram para o lanche (não esqueça de contar para os amiguinhos o motivo do encontro e co-

mo você está feliz com o filho maravilhoso que tem) etc.

LEMBRE-SE: Sua companhia, em reais momentos de interação, alegria e afeto, é talvez a melhor recompensa (pense em outra coisa, se eles já forem adolescentes, OK?).

Prêmios que podem ser usados apenas eventualmente
(para não tornar a criança "calculista, interesseira" e incapaz, portanto, de compreender o real valor de um ato socialmente positivo)

- o bombom preferido
- poder ficar mais tempo brincando com as amiguinhas
- um CD que a criança queria muito
- um enfeite para o cabelo etc.

Observação: Evite dar dinheiro ou presentes caros como prêmio por bom comportamento: isso cria expectativas altas em outras ocasiões que, quando não são concretizadas, podem levar a criança a avaliar se valeu a pena agir adequadamente. Não "compre" seu filho porque ele tirou uma nota boa na escola, não prometa uma viagem se passar de ano — assim ele não estudará pelo valor do conhecimento e do saber, mas apenas para ganhar coisas materiais. Lembre-se de que, um dia qualquer, o dinheiro pode ficar mais curto e aí? Ele continuará estudando ou deixará a escola, já que não ganha mais para estudar?

- *Tendo sempre em mente que coerência, segurança, justiça e igualdade são imprescindíveis*

Alguns lembretes fundamentais, nesse campo delicado que é o da responsabilização e das conseqüências, para dar mais tranqüilidade aos papais e mamães, evitando culpas ou inseguranças:

1. Toda conseqüência ou responsabilização deve ser ADEQUADA, isto é, para pequenos deslizes, pequenas conseqüências; para atos mais graves, conseqüências mais sérias.

2. As conseqüências por atos positivos e adequados não podem nem devem ser esquecidas, mesmo que nossos dias sejam muito atarefados e confusos, a ponto de, às vezes, só percebermos o que nos irrita ou contraria. PREMIAR ATITUDES POSITIVAS é tão importante quanto não deixar de corrigir os erros.

3. Premie ou responsabilize sempre com JUSTIÇA — nunca exagere nos prêmios nem nas conseqüências.

4. Trate seus filhos com IGUALDADE — não tenha dois pesos e duas medidas; nunca use argumentos tais como "ah, mas ele ainda é muito peque-

no para entender, o irmão já é grande", "tadinho, ele é muito nervoso" ou "coitado, ele é muito mais esquecido do que a irmã". Nada pior do que um juiz que protege alguns em detrimento da lei e da igualdade. Nossos filhos têm uma percepção muito forte com relação a injustiças ou a protecionismo. E injustiça de pai e mãe, especialmente em favor de um irmão, isso sim, pode causar danos emocionais e insegurança.

5. Finalmente, por pior que seja o seu dia, seja COERENTE em suas atitudes educacionais. Não deixe sua capacidade de julgamento ser contaminada pelas atitudes inadequadas de um chefe injusto ou um amigo desleal. Aja com isenção e maturidade. Brigue com quem, de fato, o desrespeitou. Jamais descarregue nos mais fracos — muito menos nos seus filhos.

6. Por mais difícil que seja, preserve sua MATURIDADE EMOCIONAL. Se estiver muito, mas muito irritado, desconcertado ou enraivecido por fatos recentes, que tal um cineminha, um chopinho ou um papo com amigos antes de ir para casa? É mais prudente do que chegar cedo esperando que seu filho de 8 anos ou de 5 abra mão de suas necessidades, de sua atenção, ou compreenda e aceite suas injustiças, mesmo que você esteja com os nervos à flor da pele.

Como não perder a autoridade ao disciplinar

É muito mais fácil perder a autoridade do que conquistá-la. Portanto, ao lidar com seus filhos, lembre-se:

* **Cumpra o que disse (seja prêmio ou conseqüência)**
  - ameaçou, execute;
  - prometeu, faça.

* **Seja coerente**
  - o que não pode, não pode nunca (salvo raras exceções);
  - não mude de atitude como quem muda de roupa (ou de acordo com seu humor).

* **Faça com que seus filhos gradualmente assumam responsabilidades**
  - deixe que eles participem das decisões sobre prêmios ou conseqüências — isso ajuda a amadurecer e compromete a criança e os jovens, que aderem mais ao que ajudam a construir (mesmo que sejam sanções para eles próprios).

• *Cuidado com o que você diz
e com o modo como diz*

— critique o ato, nunca a pessoa ou a personalidade de seus filhos;

— trate apenas do assunto que se está analisando naquele momento (não desenterre fantasmas do passado, a não ser que tenham relação com o caso);

— não fique "com pena" se a criança ficar triste, chorar ou se negar a falar com você, por ter sido responsabilizada. Lembre-se: é melhor que ela fique triste hoje, mas aprenda a respeitar o outro, a si própria e a palavra empenhada, do que sofrer amanhã por não ter compreendido como funcionam o mundo e a sociedade. Você, adulto, é que precisa ter uma visão mais ampla e de mais longo prazo.

Assim, se eles estão lavando o chão do banheiro, porque esta foi a conseqüência estipulada quando eles, pela décima vez, fizeram guerra de água, xampu e sabonete na hora do banho, deixando o ambiente sujo, alagado e até perigoso para os outros membros da família e para eles próprios, resista àquela idéia pseudo-amorosa de ter "peninha, coitadinhos, só têm 10 anos" e de relevar a falta "pela última vez". O fato de eles ficarem cansados ou suados não faz de você um pai ou uma mãe "carrasco". Lembre-se: você só está prevenindo um futuro de irresponsabilidade e isso é muito, muito importante. Mais ainda: se ficarem cansados, uma boa cama como a que eles felizmente têm, naquele maravilhoso quarto, que eles também têm, e uma ótima noite de sono os deixarão novos em folha. E, o principal, com mais uma aprendizagem de conseqüência nas suas vidinhas.

À medida que passam os anos, a criança apresenta novas necessidades, por isso...

...para facilitar sua tarefa no dia-a-dia, vamos analisar a seguir, por faixas etárias, *algumas das necessidades mais comuns das crianças que podem ter relação com a questão dos limites*, para que vocês, papai e mamãe, sintam-se mais seguros e conscientes de que determinadas reações e atitudes são perfeitamente adequadas ao momento de desenvolvimento de seus filhos. Atitudes que às vezes podem parecer teimosia ou desafio muitas vezes são apenas um sinal de que nossos filhos estão crescendo. Por isso é bom conhecer um pouquinho de psicologia do desenvolvimento, porque ajuda a nos posicionarmos em relação aos limites a serem trabalhados e a melhor atuar junto a nossos queridos filhotes, sempre tendo em vista atender às suas necessidades físicas, intelectuais e psicológicas, sem deixar de lado o enfoque social, que é importantíssimo para a formação do cidadão.

NECESSIDADES E DESEJOS

Para ter segurança, em se tratando de dar limites, é fundamental distinguir entre *necessidades* e *desejos* dos nossos filhos.

NECESSIDADE é algo inevitável, algo que, se não atendido, pode levar o indivíduo a ter problemas sérios no seu desenvolvimento, seja físico, intelectual ou emocional.

DESEJO é a vontade de possuir algo, de realizar algo, que pode ou não ser importante para o desenvolvimento. Está mais vinculado ao prazer.

Para que possamos melhor compreender essa diferenciação, vejamos o que nos diz a esse respeito o psicólogo A.H. Maslow:

O homem tem uma série de "necessidades normais", que ele agrupou, de forma hierarquizada, em cinco grupos (quer dizer, a pessoa só sente as necessidades de um grupo superior quando já está com as inferiores atendidas (essa classificação é conhecida como a Hierarquia das Necessidades de Maslow):

5. Necessidades de auto-realização

4. Necessidades de reconhecimento e prestígio

3. Necessidades de amor e de afeto

2. Necessidades de segurança (física, psicológica, social)

1. Necessidades fisiológicas (ligadas à sobrevivência)

A idéia de hierarquia entre as necessidades mostra que o homem só se preocupa em atender a uma necessidade de nível mais elevado se as de nível mais baixo estiverem atendidas. Ou seja, quem está com muita fome (uma necessidade fisiológica) não fica muito interessado em proteger-se (necessidade de segurança), arriscando-se, por exemplo, a cair de uma árvore alta ao tentar conseguir alcançar a suculenta manga que divisou lá em cima. Por outro lado, de barriga cheia, esse mesmo homem jamais subiria numa árvore de três metros de altura. Ou seja, atendidas as necessidades fisiológicas, as de segurança passariam a falar mais alto, e assim sucessivamente.

Cabe aos pais trabalharem no sentido de que os filhos tenham atendidas as suas necessidades, sejam elas de que nível forem.

Por outro lado, e não menos importante, cabe também aos pais a tarefa de orientar os filhos para que, a cada dia, mês ou ano que passa, as crianças caminhem no sentido de adquirir aptidões para que, por seus meios, sua capacidade e, sobretudo, dentro de normas éticas, supram, por si sós, essas necessidades.

Bem diverso, no entanto, é o desejo, a vontade de ter, fazer ou conquistar algo. Compreendendo essa diferença, fica bem fácil para os pais distinguir quando se deve e quando não se deve atender aos filhos.

Alguns exemplos podem ajudar a compreender melhor:

NECESSIDADE	DESEJO
Comer quando se está faminto	Comer chocolate em vez de almoçar
Beber quando se está com sede	Beber apenas refrigerantes
Brincar	Brincar com o aparelho de som novo do papai
Dormir	Dormir em vez de ir à escola e ficar acordado até de madrugada navegando na Internet
Usar roupas confortáveis e adequadas ao clima	Exigir roupas de determinadas marcas e uma roupa nova para cada festinha que surja
Passear, relaxar	Exigir dos pais viagens ao exterior a cada ano, nas férias, porque foi aprovado na escola

Na primeira coluna, das NECESSIDADES, estão relacionadas algumas das coisas de que todo ser humano necessita para a sobrevivência, bem-estar, saúde física e mental. Já na segunda coluna estão especificados os DESEJOS.

Todo pai tem o dever de atender às necessidades de seu filho, sejam elas de que nível forem (fisiológicas, de auto-estima, de segurança etc.).

Quanto aos desejos, há que analisá-los, para depois decidir:

- primeiramente, pense se esses desejos são aceitáveis do ponto de vista individual e social;
- segundo, quais os que você *quer* atender (porque você pode até ter condições de atender a alguns desejos de seu filho, mas julgar que não quer fazê-lo porque não acha adequado para a educação de seu filho ou até porque não quer atender);
- e, em terceiro lugar, analise para ver quais os que extrapolam os limites do desenvolvimento normal e saudável dos indivíduos.

Analisando os exemplos: se o seu filho quer comer só chocolate, você tem todo o direito de dizer não. Não se trata apenas de dar limites neste caso, mas de estar zelando pela segurança física dele. Afinal, comer é uma necessidade, mas alimentar-se adequadamente é uma necessidade até mais importante a longo prazo (comer apenas chocolate não é alimentar-se adequadamente). Cabe aos pais evitar que seus filhos, aos 10 anos, estejam com colesterol alterado e desenvolvam sérios riscos de enfartes e problemas circulatórios. Portanto, o desejo de comer apenas chocolate deve ser controlado sem dúvidas ou remorsos.

Descansar é uma outra necessidade do organismo. Depois de um ano de trabalho ou de estudos bem-sucedidos então, nem se discute. Mas se o seu filhinho, porque passou de ano, começa a exigir férias assim ou assado, com tais ou quais gastos, você deve julgar se quer ou não proporcionar-lhe isso. Se achar que é muito caro, que vai sobrecarregar a família ou que é um exagero, apenas diga-lhe isso. Com franqueza (e sem culpas!), diga "isso eu não posso lhe dar, mas podemos fazer tal coisa" e pronto.

Há ainda situações em que você simplesmente *deve* interferir, porque deixar determinados desejos serem realizados pode acabar sendo um desserviço ao seu filho. O exemplo 3 é um deles. Para ser feliz, nenhuma criança de 2 ou 3 anos precisa brincar com o aparelho de som, que certamente irá destruir. Brincar, sim, é uma necessidade. Ter brinquedos, sucata, espaço para pular, correr, tudo isso está muito certo e adequado. E os pais devem zelar para que os filhos tenham essas necessidades atendidas. Mas *brincar com qualquer coisa* pela qual a criança se sinta atraída — aí é desejo. E, como tal, os pais devem analisar e decidir se será útil ou prejudicial para a criança e para os demais membros da família.

Em resumo, pensem sempre se atender a um desejo irá favorecer o bom desenvolvimento da criança, a aceitação de seus limites, o respeito pelo outro e pela sociedade como um todo. Estes são ótimos critérios para definir-mos o que "pode" e o que "não pode", o que é desejo e o que é necessidade.

Claro que alguns desejos, mesmo não sendo necessi-dades, poderão ser atendidos. Mas seremos nós, pais, após analisarmos, como adultos e provedores, que deci-diremos.

Assim, seu filho lhe pediu uma nova calça *jeans*. Antes de decidir se concorda ou não em dar, pense:

- Seu filho **quer** (desejo) uma calça *jeans* nova? Quer.
- Ele **precisa** (necessidade) de uma calça *jeans* no-va? Não.
- Mas você pode dar, sem que isso seja um proble-ma a mais para as finanças da família? Sim.
- Ele **merece** (análise da situação do momento)? Sim, já que não exigiu, pediu de forma delicada e afável, não costuma ser muito consumista e apenas mostrou que gostaria muito de ter mais uma calça de tal modelo ou confecção.
- Então, tendo analisado isso tudo, você decide: OK, vou dar! E todos ficam felizes. Agora, se daqui a duas semanas ele lhe pedir outra calça ou outra

coisa qualquer e você achar que não deve dar, aí simplesmente diga "não, querido, você não está precisando". "Mas eu quero!" "Sinto muito, mas não vai ser possível". E encerre o assunto.

Não se esqueça: se ele fizer cara feia, ficar triste ou fizer algum tipo de chantagem (o que é o mais provável que aconteça, mesmo tendo ganhado uma calça duas semanas antes — ele já esqueceu, só lembrará daquela que não ganhou), não ceda. Mantenha sua posição e não volte ao tema. É mais do que normal que, tendo ouvido um não, a criança ou o jovem demonstrem desagrado. Afinal, eles realmente não estão contentes. Mas se você julgou e decidiu, baseado em critérios justos e equilibrados, não se impressione. Logo, logo, a carinha feia passa. A sua segurança como pai está baseada e fundamentada na justeza dos critérios com que julgou e tomou sua decisão. Portanto, não tenha medo de choro ou de cara feia. Baseie sempre suas resoluções em reflexões adultas e equilibradas. Só assim você se sentirá seguro.

Entre 1 e 4 anos

NECESSIDADES

Desde o momento em que começa a se relacionar, primeiro com os pais, depois com outros membros da família e, em seguida, com a comunidade, a criança até os 4 anos, *entre outras coisas*, precisa muito:

- sentir-se desejada, amada e necessária
- receber cuidados, proteção e segurança
- ser apreciada, aceita e fazer parte do grupo
- ter a oportunidade de explorar, brincar e aprender a cuidar de si mesma (vestir-se e usar o banheiro, aos 2-3 anos)
- repousar durante o dia
- dormir cerca de 12 horas por noite
- etc.

TAREFAS DOS PAIS

Para atender as necessidades citadas, os pais podem ajudar muito, muitíssimo. Para tanto, é preciso, porém, que tenham um eixo direcionador — algumas atitudes que, tomadas sistematicamente, ajudam a criança a crescer, tornar-se independente e equilibrada emocionalmente:

• *Faça com que as coisas permaneçam positivas — diga "não" e, em seguida, o que ela deve fazer*

Às vezes, dizer "não" pode ser muito importante. Mas não se esqueça de oferecer alternativas, logo a seguir. Exemplo: "Não, querida, você não pode mexer no aparelho de CD do papai." E, logo a seguir: "Então, vamos escolher outra coisa para brincar." Apresente-lhe imediatamente dois ou três jogos ou um livro e deixe que ela escolha. Assim, embora tenha recebido um limite, não se sentirá sem opções e compreenderá que não pode fazer uma coisa, mas pode fazer outras três ou quatro, e, o que é melhor, à sua escolha.

• Use prêmios antes e conseqüências imediatamente

Não se esqueça de premiar o bom comportamento — sem exageros, é claro. Tenha sempre um sorriso ou uma palavra agradável quando seu filhinho colaborar na arrumação dos brinquedos ou ajudar você a guardar as compras. Aprove de forma sucinta e sem falso contentamento. Uma simples frase, um beijo estalado ou uma frase curta de aprovação são suficientes. O importante é que o prêmio/aprovação ocorra com freqüência, desde que haja um motivo real. Assim, quando houver uma censura ou reprovação, isso não afetará a auto-estima da criança. Ela compreenderá que acerta e que erra. E sentirá, evidentemente, mais prazer em acertar devido aos ganhos emocionais que recebe. Acabará, desse modo, preferindo agir de forma a ter recompensas (conseqüência positiva). Entretanto, assim como o prêmio deve estar sempre presente, não esqueça de agir imediatamente em seguida ao mau comportamento. Deixar para depois não funciona — a criança pequena já esqueceu por que está sendo castigada e aí não aprende a discernir o bom do mau comportamento.

• *Ignore um mau comportamento que não esteja prejudicando ninguém, quando a criança é pequena*

Nessa faixa etária, muitas vezes ocorrem comportamentos inadequados, mas que não prejudicam ninguém. As emoções ainda são muito fortes e pouco controladas. Nesses casos, é bom fingir que não vimos para que tenhamos menos embates com a criança. Temos de saber discernir as lutas que valem a pena e as que não valem a pena serem iniciadas. Por exemplo: seu filho está montando um brinquedo mas, quando não consegue e a torre construída desaba, ele se irrita e joga as peças longe. Não é necessário intervir sempre. Se ele está brincando no quarto, ou em outro local, onde não há perigo de machucar ninguém ou de quebrar nada, simplesmente deixe. É bom que ele possa externar seus sentimentos em alguns momentos.

• *Conforte-a nas necessidades*

Em geral, quando está triste, em conflito, ou, como no exemplo acima, chateada porque não conseguiu montar a torre, a criança busca o apoio dos pais. Conforte-a com palavras que expressem sua compreensão; dê-lhe carinho. Isso reforça a segurança de que tanto necessita.

COMO LIDAR COM PROBLEMAS DE COMPORTAMENTO

- *Acessos de cólera ou mau humor*
  - são freqüentes nessa idade; a criança ainda não está socializada;
  - ignorar é a melhor maneira de eliminar;
  - quanto menos você falar e tentar convencê-la, melhor e mais rápido o efeito;
  - também não espere que se acalme escutando a voz da razão e a ponderação — ela está com muita raiva e ainda não consegue dominá-la;
  - muito menos tenha, você também, um acesso de cólera por causa do acesso de cólera da criança. Você é um adulto. Não aja como se tivesse a mesma idade de seu filho.

- *Dê-lhe direito ao "piti", mas explique que não vai assistir*
  - conduza-a a um local onde não possa machucar-se (isso é fundamental — proteger a criança que está descontrolada);

- diga-lhe — com calma, sem gritar, mas com firmeza — que essa não é a forma de se conseguir o que deseja e que você vai esperar ela se acalmar para depois conversarem e...
- retire-se.

• *Se ela tentar agredi-lo fisicamente, chutar, jogar coisas*

- simplesmente impeça-a, segurando-a com firmeza, porém sempre sem machucá-la e, muito menos, sem fazer o mesmo com ela (já ouvi muitos depoimentos de pais que diziam: meu filho me mordeu, então mordi-o também, assim ele aprendeu que morder dói; meu filho me deu um tapa, dei-lhe outro, nunca mais ele me bateu...). A agressão infantil é fruto do desconhecimento das regras sociais e, especialmente nessa idade, da incapacidade de controlar sentimentos muito fortes.

• *Sem platéia, quem quer dar espetáculo?*

- não fique junto, gritando, suplicando, ameaçando, muito menos agredindo (ou apanhando!). Simplesmente, não assista.

• *Depois que se acalmar, converse sobre o que ele sentiu*

- mostre-lhe que existem outras formas de demonstrar sentimentos, com palavras objetivas e sem longos sermões. Seja breve e vá direto ao ponto: "Que pena, mamãe e papai ficaram tristes porque você se jogou no chão. Agora sim, você está lindo e fofo como você é! Fazer o que você fez não vai dar certo conosco. O que não pode, não pode mesmo."

E só...

Atenção, papais e mamães!

É bom lembrar que todos esses comportamentos tendem a desaparecer, porém não num passe de mágica, como muitos pais sonham. Tudo em educação leva *anos* para ser interiorizado. Portanto, tenham paciência. Aos pouquinhos, seus cuidados e dedicação terão resultados compensadores.

Mas de-mo-ra!!! Demora muito! Tenham perseverança, porque os objetivos são excelentes e não podem ser abandonados.

EVITANDO CRISES EM LOCAIS PÚBLICOS

Nada pior do que um filho tendo um ataque daqueles em que se jogam ao chão, rodopiando feito pião, ou em que gritam histericamente, ou choram derramando rios de lágrimas, deixando todos os que assistem compungidos e apiedados da "pobre vítima de pais intransigentes", dando a impressão de que foram espancados violentamente! Num restaurante, num supermercado ou numa festa cheia de pessoas conhecidas, então, é de matar! Locais, enfim, onde costuma juntar gente "para assistir" ao que, obviamente, deixa você morrendo de vergonha e... louco para se livrar daquela situação.

É bom lembrar que essas cenas muitas vezes acontecem porque os pais, por vezes, exigem mais do que a criança pode dar, de acordo com a sua idade. A melhor maneira, portanto, de evitar tais situações (ou de, pelo menos, diminuir bastante sua incidência) é tomar algumas medidas básicas, como as que se seguem:

- *Evite saídas ou compras na hora em que a criança está cansada ou com sono*

  – não espere do seu filho mais do que ele pode dar — criança tem sono à noite e após o almoço. É normal, é uma necessidade dessa fase. Tente respeitar isso e terá menos problemas;

  – querer jantar às 10:00 da noite num restaurante chique e ficar papeando até 2:00 da madrugada acompanhada do maridinho, dos amigos e do seu filho de 2 ou 3 anos pode parecer tentador, mas não espere que ele fique feliz por estar sentado numa cadeira por três horas em vez de deitadinho na sua caminha quente de que tanto gosta, numa hora em que está louco de sono... Que tal pensar em outro programa? Chamar os amigos para jantar com você, pedir comida japonesa do restaurante e... deixar seu pimpolho dormindo, feliz, na caminha dele, pode evitar muitos aborrecimentos, fora o fato de que você vai se sentir melhor, por respeitar a necessidade de sono do filhote, não é mesmo?

- *Permaneça pouco tempo em locais que sejam de baixo interesse para a criança (supermercado, exposições, shoppings)*

  – a não ser que seja totalmente impossível deixá-la em casa, leve-a, mas lembre-se de que ela não estará nada motivada para essa atividade e, portanto, não espere ter um anjinho de candura ao seu lado. É comum alguns pais entupirem a criança de brinquedos, doces e outros agrados para prolongar a estada em tais locais. Depois não se consegue entender como ela se tornou tão birrenta ou tão interesseira...

• *Se não puder evitar, leve brinquedos que a distraiam*

— quando tiver de ir a um desses lugares aborrecidos, providencie para o conflito não surgir; leve alguma coisa que possa ocupá-la enquanto você faz o que tem a fazer; dessa maneira, ela dará menos problemas e ficará entretida — mas, por favor, seja rápido!

• *Premie o bom comportamento logo de início; depois vá espaçando*

— se, com todo o incômodo que você está causando à criança, ela está bem-comportada, não esqueça de recompensá-la — uma palavra, um sorriso, um beijo e, eventualmente — por que não? — um delicioso sorvete ou uma revistinha... Mas cuidado: EVENTUALMENTE, não sempre, e nunca com prêmios dispendiosos. À medida que ela cresce, vá espaçando os prêmios, especialmente os materiais; nunca deixe, porém, de ressaltar com palavras e um gesto de

afeto o quanto você apreciou o seu bom comportamento, mais uma vez.

- *Jamais ignore um mau comportamento que prejudique ou magoe outras pessoas; explique-lhe isso com clareza*

  – da mesma forma que se premia sempre o bom comportamento, mesmo que apenas com palavras carinhosas ou de incentivo, a atitude inadequada deve ser coibida de forma clara, objetiva, com segurança — e de imediato. Os direitos dos outros devem ficar tão claros para as crianças e os jovens quanto os seus próprios direitos. E não pense que não entendem. Seja direto e claro nas suas mensagens. Assim, eles captarão o que você quer dizer. Nessa faixa etária, não fale mais do que um ou dois minutos para explicar algo — elas vão a-dor-me-cer ao som de suas palavras! Seja breve, mas fale. Elas entendem mais do que os pais costumam pensar.

Entre 5 e 7 anos

NECESSIDADES

- de conversar sobre o que pensa e sente
- de se comunicar com os pais e ser ouvida
- de compreender normas e valores
- de aprovação dos pais e de outras pessoas com quem convive
- de carinho: é muito afetiva nessa idade
- de dormir cerca de 11 horas por noite
- de saber sobre diferenças entre os sexos
- de muita atividade física
- de independência cada vez maior
- de iniciativa e imaginação
- de conhecer o mundo que a cerca
- etc.

TAREFAS DOS PAIS

Se queremos que nossos filhos nos respeitem e respeitem o outro, temos que começar, nós próprios, respeitando-os, porque o exemplo continua sendo a melhor maneira de educar. Se nós formos desregrados, sem limites e indisciplinados, como poderemos querer que nossos filhos sejam diferentes? É saudável, portanto, que tenhamos algumas regras para nós próprios e que as sigamos ao nos relacionarmos com nossos filhos:

• *Tenha normas coerentes de disciplina*

— regras justas e coerentes com a forma de viver de todos os componentes da família têm muito mais chance de serem cumpridas e não despertam revolta.

— também é importante ter regras para o que for realmente necessário; não se deve transformar nossa casa num quartel, nem nossas atitudes com nossos filhos devem ser policialescas; regras justas, em coisas que necessitem de regras. E só. Por exemplo: você sabe que seu filho precisa (necessidade) dormir cerca de dez a onze horas por noite. Mas não vá ficar neurótico por isso. Estabeleça as regras e comunique. "Nove horas é hora de estar na cama." No entanto, não transforme isso numa batalha infernal e diária. Mas faça com que seja cumprida, porém com calma. Lembre-se: ter calma depende da nossa segurança quanto ao que estamos fazendo. Avise meia hora antes que ele tem mais esse tempo antes de se arrumar para dormir. Depois, ajude-o, levando-o com carinho, porém com firmeza, para escovar os dentes, trocar a roupa, ouvir uma bela história e... bons sonhos! Coloque amor e segurança no tempero: o resultado sairá delicioso!

– repita o processo todas as noites, até que ele esteja realmente convencido de que é assim que funciona...

– e mesmo que você esteja morto de tédio, não desista — as coisas demoram mesmo muito a acontecer em educação!

• *Enuncie as normas especificamente e com clareza*

– quem vai ter de cumprir normas precisa ter consciência muita definida de quais são elas. Por isso é muito importante que esses princípios sejam comunicados de forma clara e objetiva.

– também é de grande ajuda explicar o "porquê" de determinadas regras — nessa idade a criança já entende e tem um senso de justiça bastante desenvolvido.

- **Defina as normas antes que os problemas surjam**

  – a melhor maneira de não ouvir reclamações é fixar as regras do jogo antes de o jogo começar. Assim, se vocês vão fazer um piquenique numa praia, antes de sair explique, numa conversa franca, o que vai poder ser feito e o que não poderá ser feito.

– seu filho, pelo menos ainda nessa idade, não só compreende as regras, quando bem fundamentadas e objetivamente explicadas, como, ao compreendê-las, sente-se bem em cumpri-las. Portanto, aproveitemos!

– se, por exemplo, você vai deixar que ele passe a noite na casa de um amiguinho no próximo fim de semana, comunique, de antemão, que no dia seguinte, a tal hora, ele deverá voltar para casa, porque tem de estudar e fazer as tarefas da escola. Não se admire se ele tentar burlar o horário na hora H, afinal, está tão gostoso ficar na casa do amigo... Não se aborreça — é assim mesmo, *eles tentam sempre* (não somente seu filho)! Compreenda o desejo (não é uma necessidade, certo? Afinal, ele já ficou um dia e passou a noite lá; brincou bastante, portanto), diga isso a ele mas... não permita, lembrando-lhe, com segurança e carinho, o que ficara combinado. Encerre a conversa, avisando que já está saindo para buscá-lo. Nessa hora, faz um grande efeito lembrar que, num outro fim de semana, *provavelmente*, ele poderá convidar, por sua vez, o amigo para dormir com ele, em sua casa. Não é uma barganha, nem uma promessa, veja bem, é uma forma de mostrar à criança que haverá outras oportunidades felizes. Desde que ela corresponda ao que foi combinado. Ponto para você!

— não tomando essas medidas antes, a criança poderá fantasiar que ficará até a noite, ou dormirá de novo lá, e, quando você aparecer para buscá-la, poderá encontrar forte resistência. Sabendo de antemão o que vai acontecer, as coisas ficam mais fáceis.

— às vezes, mesmo cientes das regras, as crianças teimam e insistem em mudar o que foi estabelecido; nesse caso, aja do mesmo jeito, negando quando necessário e, eventualmente, concedendo (se não houver empecilhos ou problemas. Porém, se ela tem de estudar ou fazer as tarefas escolares, não ceda de jeito nenhum). Lembre-se, porém, que se você ceder muitas vezes, especialmente quando ainda está formando hábitos, será cada vez mais difícil restabelecer o combinado. Se ficar em dúvida, com "peninha", procure lembrar o quanto seu filho já se divertiu, desde que horas ele está brincando na casa do amigo e o quanto ceder poderá lhe trazer complicações nas próximas vezes: pesando tudo isso, tome sua decisão — caso opte por deixar ficar mais tempo, fixe quanto tempo será a mais — e, se optar por não deixar, faça-o, e sem culpas.

• *Limite as opções*

– entre 5 e 7 anos, a criança costuma ser muito cordata, mas como está numa fase de grande crescimento intelectual e motor, poderá querer fazer coisas por si mesma. Os pais devem incentivar e colaborar nessas atividades, dando todo apoio para que ela se sinta independente e confiante. Se algumas dessas coisas que ela já quer fazer sozinha não ficarem tão perfeitas, ao gosto de pais e mães zelosos, é bom lembrar que não devemos ser exigentes demais. Um exemplo: sua filha de 5 anos resolveu se vestir totalmente sozinha, sem ajuda. Ao final, a saia está do avesso. Antes de chamar a atenção para isso, elogie tudo o que ela conseguiu e, mais tarde, pergunte se ela notou que vestiu do avesso. Ela própria tentará refazer. Ou então deixe, especialmente se vão ficar em casa. Só ajude se ela pedir. Aplauda sempre sua persistência, em vez de dizer "vamos acabar logo com essa história, que já está demorando muito". O mesmo se dá em relação a tomar banho sozinha, comer e cortar seu bifinho. Incentive, se quer que seu filho cresça! Não o desestimule, rindo ou caçoando de seus esforços, por vezes, desajeitados. Só aprende quem faz.

— por outro lado, se ele tentar fazer coisas que estejam acima de suas possibilidades, aí você pode intervir, mas com respeito e carinho. Dê-lhe sempre outras opções e explique que não deixou que fizesse porque ainda não é hora, mas que logo poderá fazer. Por exemplo, a criança quer usar o martelo e o serrote do papai para consertar um brinquedo que quebrou. Você analisa e vê que o serrote é ainda muito perigoso. Dê-lhe outra ferramenta no lugar ou deixe que ele escolha dentre as que não oferecem risco. Pronto — incentivou e protegeu! Outro exemplo, você sai com ele para fazer compras e ele quer escolher suas próprias roupas. Deixar ou não? Escolha dentre as que são adequadas às necessidades do momento, à verba disponível e apresente-lhe quatro ou cinco opções para que ele decida. Assim, você não corre o risco de comprar uma roupa de verão no inverno ou de cores absurdas, nem fora das suas possibilidades financeiras. Todos ficam felizes: seu filho, porque vai ter a roupa do jeitinho que queria, e você, que incentivou a independência e permitiu que ele expressasse seu gosto pessoal, sem arrasar as finanças da família e sem conflitos. Perfeito!

• *Escolha as suas batalhas*

— lute apenas pelo que é necessário. Não entre em brigas ou disputas com os filhos por coisas desnecessárias. Se você resolve que ele deve cortar as unhas e ele hoje não quer, deixe para amanhã (desde que isso não ocorra todas as vezes). Dar limites não significa ser rígido. Se não é tão importante, deixe para outra hora. A criança tem direito também a se expressar e ser atendida, o que fortalece seu crescimento e a capacidade de tomar decisões. Se ele não quer comer todo o lanche, mesmo que esteja delicioso e você tenha preparado com o maior amor, não insista com quantidades. Se ele quer colorir o desenho todo de verde, não interfira.

— guarde suas energias para as coisas realmente importantes, aquelas que têm a ver com a formação moral, com os hábitos de estudo, com a adequação da programação a que assistem na TV, com a forma que tratam os outros.

— uma mãe, certa vez, me disse que *obrigava* os filhos a lerem todos os dias, porque considerava a leitura muito importante; também não tinham TV em casa, porque os programas são ruins do ponto de vista educacional. Será que aí não estaria havendo exagero de poder? E será que vai funcionar? O gosto pela leitura surgirá a partir de uma imposição tão forte? Ou eles vão ficar desesperados e grudar na TV da casa dos amiguinhos e odiar sequer olhar para os livros no futuro?

— então, a questão é saber equilibrar os direitos e deveres — dos filhos e dos pais também.

TÉCNICAS A SEREM USADAS

• *Utilize o sistema de prêmios e conseqüências*

- continua sendo uma boa opção, com ótimos resultados, sendo que nesta fase já podemos conversar de forma mais profunda com a criança. Não esque ça de deixá-la falar o que pensa e também, em especial, sobre seus sentimentos.

• *Premie a boa conduta*

- sempre funciona incentivar a conduta adequada, porque predispõe a uma melhor aceitação dos momentos em que for necessário criticar uma atitude.

• *Premie usando atividades prazerosas, preferencialmente a coisas materiais*

- vale lembrar que os melhores prêmios, ainda nessa idade, continuam sendo atividades conjuntas, especialmente se atendem às preferências e aos interesses da criança. Todo pai sabe quais as atividades que seu filho prefere. Assim, premiar torna-se fácil e agradável. O sucesso dessa forma de agir vai depen-

123

der muito da sensibilidade dos pais. Realizar uma atividade conjunta, mas que não tenha nada a ver com o prazer da criança, torna-se um castigo e não uma recompensa. Ao escolher os prêmios, lembre-se das necessidades dessa fase: muita atividade física; iniciativa, imaginação, curiosidade pelo mundo que a cerca etc. Se você levar em conta essas características, saberá escolher o prêmio que agradará em cheio: uma ida ao Planetário (se mora no Rio de Janeiro) ou ao Instituto Butantã (se reside em São Paulo); uma visita ao Museu Imperial (em Petrópolis) vai dar asas à imaginação deles; ou a um parque com muito espaço; uma ida a um rinque de patinação; ou que tal irem juntos ao boliche e ensiná-la a jogar? Além de se sentirem verdadeiramente premiadas — o que incentivará a repetição das atitudes positivas —, vocês estarão estabelecendo boas bases para o entendimento na adolescência.

• *Suspenda prêmios quando surgir má conduta*

– é bom lembrar que se você premia um filho mas, no decorrer da atividade, ele adota um comportamento inadequado ou anti-social, o prêmio deverá ser suspenso se, após uma advertência ou um lembrete, não cessarem os problemas. Digamos que vocês tenham decidido recompensar seu filho com uma ida a um centro de videogames, levando, de quebra, dois amigos. Tudo ia indo bem, todos alegres, divertindo-se muito, até que seu filho se aborrece por perder um jogo seguidamente e começa a bater no aparelho, a chutar e xingar os amigos. Você tenta fazê-lo se acalmar, mas as atitudes agressivas continuam e ele não ouve seus apelos. Nesse caso, mesmo sendo um prêmio, você pode interromper a atividade devido ao mau comportamento do menino. Claro, depois de lhe ter dado duas ou três oportunidades, mas não mais do que isso...

• *Faça com que a criança se responsabilize mais por seus atos*

– o próprio exemplo acima serve para ilustrar que, em qualquer circunstância, devemos fazer com que nossos filhos compreendam que eles são responsáveis por suas atitudes e pelas conseqüências (boas ou más) que delas resultam. Assim, se o mais velho quebrou propositalmente o brinquedinho do irmão caçula, é importante que ele saiba que não poderá agir mais dessa forma. Compre um novo brinquedo para o irmão, para substituir o que ele quebrou — e diga-lhe isso com poucas palavras: "Papai teve de gastar dinheiro para comprar outro brinquedo para o seu irmão, porque você quebrou o dele e não sobrou para comprar o novo livro de histórias que você queria. Que pena... Eu tenho certeza de que você não vai mais fazer isso, e quando eu ganhar outro dinheiro e você estiver brincando com seu irmão, comportadinho, vou comprar o seu livro."

– mas atenção! Espere que, de fato, isso ocorra. Não vá correndo, no dia seguinte, comprar o livro. "Ah, mas ele se comportou tão bem ontem a tarde inteirinha!" Um dia só não será eficaz, é muito pouco. Se você "morrer de pena" e facilitar muito, logo ele estará quebrando mais brinquedos. É preciso que ele realmente sinta que errou e que POR ISSO, unicamente por isso, não ganhou o que desejava.

– estimule atividades autônomas que já podem fazer sozinhos — você estará atendendo à necessidade de autonomia e iniciativa — tomar banho; escovar os dentes; calçar-se; dar laços nos tênis etc. Não critique se não ficar perfeito. Ressalte os progressos — é ótimo para a independência e a auto-estima.

– encarregue-o de pequenas tarefas que ficarão sob sua responsabilidade — eles adoram isso — dar comida para o cachorro, pegar a correspondência na portaria do prédio ou outras que você perceba estar ao alcance dele.

- • *Deixe que participe da escolha de conseqüências de má conduta*
  - – evidentemente, isso só funciona se for trabalhado antes de o problema ocorrer e com a participação

ativa dos pais, senão, claro, as escolhas podem se tornar muito severas ou muito benevolentes.

– todo jogo deve ter suas regras determinadas antes de o jogo começar. Discutir com a criança o que ocorre em cada situação que vivenciar é uma prática salutar, porque ajuda a desenvolver o senso crítico, a capacidade de julgamento de atos e fatos, sua gravidade, extensão e decorrências. Talvez seus filhos o surpreendam, mostrando-se até mais severos do que vocês próprios. Dê-lhes essa excelente oportunidade de treinar o exercício dos deveres e dos direitos.

Entre 8 e 11 anos

NECESSIDADES

- grande atividade física
- estabelecer as bases para a adolescência
- relacionar-se com os pais harmoniosamente
- aumentar o círculo de amizades (pode sentir-se atraída por gangues ou grupos fechados)
- sentir-se parte importante da família, por exemplo, tendo algumas tarefas domésticas sob sua responsabilidade
- estar bem no grupo de amigos (atenção! Podem oferecer cigarro, álcool e outras drogas)
- desenvolver o raciocínio lógico
- maior independência
- etc.

TAREFAS DOS PAIS

A atitude dos pais assume importância essencial. Do equilíbrio e da segurança com que atuam nessa fase, pode-se estabelecer as bases para uma adolescência sem maiores problemas. É preciso aprofundar e aproveitar o fato de que, ainda nessa idade, nossos filhos nos ouvem e aceitam nossa orientação, especialmente se atuamos de forma adequada nas fases anteriores.

• *Mantenha todos os itens da faixa etária anterior*

– todos são válidos também para essa faixa etária, portanto, mantenha-os sempre.

• *Estabeleça períodos de repouso ou atividades mais sossegadas*

– devido à grande atividade física, por vezes as crianças não conseguem parar e vão, paulatinamente, ficando mais e mais excitadas. É bom que tenham atividades movimentadas e outras menos, para permitir atender às necessidades físicas, mas também o desenvolvimento intelectual e a execução das atividades e tarefas escolares. Combine com seus filhos os horários de brincar com os amigos no *playground* ou na rua, o horário de estudar; a hora dos esportes e — importante — a hora de nada fazer (que é também essencial) ou fazer o que estiver com vontade (navegar na Internet, jogar os joguinhos eletrônicos etc.). É fundamental que eles tenham certa organização nos horários e que haja tempo para tudo, sem sobrecargas.

• *Supervisione o cumprimento do que foi estabelecido*

– premie ou responsabilize, de acordo com a atitude deles.

• *Acostume seus filhos a dizerem onde estarão e com quem*

– se vão à casa de um amigo estudar, acostume-os a dizer o nome e deixar o telefone. Mostre que é uma questão de segurança para eles e para vocês. Nessa fase é muito importante fortalecer esse hábito, que será extremamente importante na adolescência. Se disserem que não sabem o telefone, peça que liguem quando chegarem dando o número; leve-os sempre que possível ao local pessoalmente, assim terá oportunidade de conhecer os amigos, sua casa, seus pais, ainda que superficialmente, e verificar onde moram; também insista para haver um revezamento, de sorte que você possa ter contato mais próximo com os amigos de seus filhos.

Nessa idade, como vimos, eles costumam ampliar muito o círculo de amizades e, especialmente nos dias de hoje, é preciso estarmos muito atentos.

• *Não esqueça de ter sempre um tempinho diário para conversar com eles*

— estabeleça um clima que permita à criança expor suas idéias. Nesses momentos, não tente impor seus pontos de vista, ainda que o que eles lhe digam expresse conceitos totalmente diversos aos seus. Ouça com atenção e em silêncio (embora isso seja bastante difícil). Depois que eles terminarem, diga com clareza o que pensa a respeito. Afinal, trata-se de uma conversa apenas, lembre-se. O importante aqui é abrir portas para a comunicação franca. Se você começar a falar, falar, falar ou der lições de moral, o "papo" terminará logo, logo. Se não criamos este hábito saudabilíssimo de sabermos ouvir os filhos ou deixarmos para depois, o momento do diálogo provavelmente não ocorrerá nunca. Entre 8 e 11 anos, eles ainda gostam de conversar conosco e contar os eventos do dia-a-dia. Aproveitemos. Será a base para não nos *esconderem muitas coisas* na adolescência. É verdade! Menos de 20% dos jovens contam tudo para os pais. Especialmente se nunca conversaram antes...

- *Alerte sobre a possibilidade de oferecerem drogas*

  – por mais que nos custe acreditar, 8 anos já é uma idade em que se precisa começar a trabalhar a idéia de que alguém, inclusive algum amigo da escola ou de qualquer outro ambiente que ele freqüenta, poderá oferecer cigarros, bebida alcoólica, maconha e até outras drogas, como *crack*. Todos os nossos esforços devem ser canalizados no sentido de fortalecer nossos filhos para que desenvolvam um equipamento emocional que lhes permita dizer "não" nesses momentos. É bom lembrar que uma criança que cresceu com limites terá, provavelmente, mais facilidade de dizer não do que aquela que só faz o que quer, simplesmente porque o "não" já faz parte da sua vida e não constitui, portanto, um bicho-de-sete-cabeças.

- *Dê a seu filho a segurança de que, ao dizer "não", ele não perderá o amigo*

  – um dos mais poderosos argumentos utilizados pelos aliciadores é a chantagem afetiva. Prepare seu filho para essas situações, mostrando-lhe o que poderá ocorrer e de que forma. Prepare-o para ouvir "você não é de nada", "você é frouxo", "filhinho da mamãe", ou "sou seu amigo, cara; você não acredita em mim?", "se você não experimentar é porque não é do grupo" etc. etc. etc. Isso ocorre em relação ao uso de drogas, mas também em quaisquer situações em que o grupo de amigos esteja fazendo ou pretendendo fazer alguma coisa "contra as regras ou a lei". Certifique-o de que amigos verdadeiros não exigem provas de amizade, especialmente aquelas que poderão lhe fazer mal, ou colocá-lo do outro lado da lei. Ensine algumas desculpas que poderá utilizar que não o deixem "por baixo" tais como: "já fumei e detestei", "não sou otário, como você", "não preciso dessas coisas para ficar alegre ou feliz". Ou outras quaisquer que lhe ocorram.

- *Deixe muito claro que ele deve recusar sempre*

  – seja muito claro sobre o quanto vocês reprovam o uso de drogas ou quaisquer atos contrários à lei e que, se aceitar, estará não só correndo sérios riscos, mas também indo contra vocês; a dubiedade de atitudes ou o medo de falar abertamente sobre esses assuntos podem ser os maiores problemas. Marque posição. Seja totalmente claro ou seu filho não saberá qual é a postura de vocês, pais. Assim, se ele decidir fazer algo errado ou experimentar uma droga qualquer, mesmo sabendo que vocês proíbem, estarão cientes de que não têm sua aprovação. Estabeleça os limites: "Aqui em casa ninguém se alcooliza, nem se droga, somos felizes sóbrios." Deixe claro também que vocês não trabalharão para sustentar vícios. Só esse tipo de postura firme, porém amorosa, já afasta um enorme percentual de jovens (não todos) do terrível perigo das drogas e da marginalidade.

• *Peça-lhes que comuniquem a vocês, se ocorrer*

– assim, vocês poderão tomar providências imediatas a favor de seu filho e do amigo dele. Ressalte bastante que isso não é traição, é salvar uma vida — ou várias.

• *Fale claramente com seu filho sobre a questão da dependência*

– dê todas as informações; assim ele só embarcará nessa terrível aventura se quiser, mas sabendo dos riscos e também do desapontamento que dará a vocês — nunca, porém, poderá alegar ignorância ou desinformação.

• *Ajude seu filho a ter seus tesouros bem protegidos*

– meninos e meninas nessa idade adoram colecionar coisas as mais diversas. Não destrua ou critique, ao contrário, colabore para que tenham espaços para guardar seus objetos preciosos e exibi-los apenas quando desejarem. Respeite seu filho e ele respeitará você.

• *Não confunda respeito com falta de supervisão*

– lembrem-se sempre daqueles dois jovens, lá nos EUA, que conseguiram armazenar e guardar, por um ano, munição pesada (fuzis, metralhadoras e granadas) em seus quartos, sem que os pais tivessem a mínima idéia do que estava ocorrendo, até que eles mataram mais de dez colegas da escola e, em seguida, suicidaram-se. Há, hoje, uma clara confusão entre "invasão de privacidade" e falta de atenção dos pais com o que está ocorrendo na vida de seus filhos.

– bater na porta do quarto deles antes de entrar é correto, é respeitoso. Mas, se eles vivem de porta trancada; se quando você bate, nunca pode entrar, ou então é necessário esperar uns bons minutos antes que a porta seja destrancada; se você ouve confusão e barulhos estranhos toda vez que tenta entrar no quarto de seus filhos, aí, atenção! Algo errado deve estar acontecendo. Supervisionar, estar atento é muito diferente de invadir ou cercear a liberdade.

• *Supervisione ainda a higiene pessoal*

– embora já façam tudo sozinhos, dê uma revisada de vez em quando. Discretamente, é claro... Em relação à higiene íntima, oriente especialmente as meninas, que, nessa fase, já podem estar menstruando.

• *Reforce os valores éticos*

- praticantes de esportes ou aficionados de joguinhos, devemos orientá-los sempre sobre a importância da competição sadia e honesta. E, especialmente, sobre a lealdade. Também é importante fazê-los aceitar as derrotas (pode parecer incrível, mas já vi pais estimulando exatamente o oposto: ganhar a qualquer preço, mesmo que à custa de pequenas desonestidades ou de atitudes desleais com os colegas).

• *Tolere pequenas rebeldias*

- não faça cavalo de batalha por tudo. A necessidade de independência e de tomar decisões autônomas começa a se acentuar nessa fase da vida. Aceite e incentive as decisões positivas, critique as inadequadas, sem humilhar, brigar ou arrasar a pessoa, mas não deixe de se posicionar — *oriente argumentando.*

Na adolescência

NECESSIDADES

- amor e afeto
- segurança
- ambiente familiar tranqüilo, que dê suporte às freqüentes crises de insegurança e identidade
- pertencer a um grupo de amigos positivos e saudáveis
- privacidade e respeito
- projeto de vida e objetivos imediatos e claros
- respeito e compreensão em relação às dificuldades que atravessa
- liberdade para tomar decisões e agir nos aspectos para os quais já apresenta maturidade e capacidade
- limites que o ajudem a se proteger da própria imaturidade e onipotência
- ter valores éticos
- etc.

TAREFAS DOS PAIS

De modo geral, os aspectos anteriormente definidos são válidos também na adolescência, com algumas características especiais:

- *Premie e recompense a conduta adequada*
  - dê sempre oportunidade para que discutam e expressem suas opiniões e troquem idéias.

- *Responsabilize-os por atos inadequados*
  - especialmente nessa idade, é fundamental fazer com que assumam as conseqüências de seus atos, afinal já não são crianças, como eles mesmos afirmam. Devem, portanto, estar muito conscientes dos seus atos e das conseqüências dos mesmos.

- *Dê afeto*
  - mesmo que eles demonstrem não querer ou exibam até mesmo certa aversão ao contato físico com os pais, não acreditem. Eles precisam muito de amor. Mas, para essa idade, há outras formas de mostrar

carinho: um sorriso, um tapinha nas costas, desarrumar o cabelo, elogiar a roupa, dizer que admirou seu novo corte de cabelo etc. são maneiras de dizer "eu te amo". Também vale um beijo estalado, meio roubado, quando estiverem a sós — sem os amigos por perto, é claro...

• *Tenha compreensão*

– é muito importante que os pais tenham muita clareza sobre as características normais da idade, para que possam aceitar melhor certas posturas que, à primeira vista, podem parecer total desafio ou enfrentamento: a capacidade inesgotável de se opor, por exemplo, pode tirar do sério qualquer pai ou mãe, por mais bem-intencionados que sejam. Portanto, vale a pena conhecer bem essa fase para deixar passar algumas coisas, em troca de lutar pelas causas que, de fato, não podem ser deixadas de lado. Compreender essas características ajuda o adequado estabelecimento de limites na adolescência. Por vezes (por muitas vezes, aliás), o jovem pode ser muito irritante e levar os pais a sanções desnecessárias. Por exemplo: uma certa dose de depressão é comum no jovem, e, por vezes, ela se expressa na falta de asseio corporal ou na incapacidade de manter seu quarto ordenado, do jeitinho que as mães gostam. Sabendo disso, poderemos ser mais tolerantes com "uma certa bagunça" ou com "um pouquinho de desleixo". Evitando brigas desnecessárias, guardamos fôlego para outras, mais importantes: seu filho de 16 anos chegou de pileque em casa? Aí sim, uma conversa muito séria vale — e é inevitável —, podendo haver até algumas sanções em caso de reincidência, como cortar parte da mesada, para que não gaste dinheiro com excesso de bebidas (embebedar-se, no mínimo, é sinal de que o dinheiro está sobrando, não é mesmo?), mas, antes de tudo, demonstra falta de maturidade: o abuso do uso de álcool, além de infração legal, pode incorrer em penalidade para os pais e em dependência para os filhos. Se o adolescente age de forma descontrolada e sem limites, deve ser coibido.

• Seja justo e equilibrado

— especialmente nas situações em que os filhos demonstram desequilíbrio ou são injustos conosco (o que não é nada incomum por parte dos jovens em relação aos pais): nessas horas é importante conservarmos a calma. Nós, adultos, devemos estabelecer um princípio com nossos filhos: enquanto estiverem destemperados, "nada de papo". Quando se acalmarem e puderem conversar "como gente", conversamos e mostramos, com argumentos e sentimentos, como nos sentimos e a necessidade de eles serem

coerentes: se desejam ser tratados com justiça, devem tratar os outros da mesma forma.

• *Tolere seus momentos (freqüentes) de mau humor, mudez absoluta, cara feia, muxoxos e resmungos*

— desde que não ultrapassem, de forma alguma, os limites da civilidade e do comportamento em sociedade. Assim, você pode admitir que seu filho adolescente fique mudo toda uma manhã ou trancado a tarde inteira no quarto ouvindo música — desde que não descambe para agressões, intolerância ou xingamentos para com os demais. Estabeleça junto com ele as regras para os momentos "negros". Quando ele estiver bem, calmo e de bom humor, apenas nesses momentos, aborde o assunto, mostre-lhe o quanto esse tipo de atitude incomoda e magoa a todos; no entanto, garanta-lhe esse direito, desde que as regras de civilidade (por exemplo, um bom-dia ao acordar e entrar na sala é indispensável e assim por diante) não sejam esquecidas. Esses pequenos limites ensinam o jovem a dominar seus impulsos, que, nessa fase, voltam a ser muito fortes.

• *Saiba ouvir os filhos*

— desde que queiram falar, é claro, e nem sempre eles querem; portanto, saiba esperar; seja mais maduro que eles que são jovens e estão aprendendo. Não queira que eles falem, quando não estão realmente dispostos. Você não conseguirá nada, apenas uma situação de conflito a mais e de pouca ou nenhuma utilidade. Aguarde momento mais favorável. Ser pai de jovem é realmente uma arte... mas que, evidentemente, tem grandes compensações. Agora, quando eles estiverem contando alguma coisa, preste atenção. Ouça com o coração e a razão juntos, se possível! Não comece logo a criticar, a falar junto ou a brigar. Aí, não vai sair mais nada...

- *Faça-os conhecer e respeitar as normas vigentes na família*

  – às vezes, os pais ficam com muito medo de parecerem "caretas". Ou porque os próprios filhos se encarregam de passar essa idéia (de que a gente "já era") ou porque não estão certos de suas posições e temem parecer antiquados. Algumas regras e normas que regem a família devem, no entanto, ser claramente enunciadas, especialmente aquelas que dizem respeito à formação de hábitos relativos a uma vida saudável, responsável e ética. Para tanto, os pais devem ser claros e objetivos quanto a posturas que consideram aceitáveis ou não. Por exemplo: se não aceitam o uso de álcool antes dos 18 anos, os pais devem dizê-lo claramente aos filhos; se não admitem a hipótese de uma filha "aparecer" grávida, essa postura deve ficar bem esclarecida, até para que não haja expectativas inadequadas a esse respeito. Afinal, com tanto incentivo na mídia, muitas jovens até acham que os pais irão adorar ter um netinho, ainda que elas não tenham a menor possibilidade de criá-lo, nem maturidade para educá-lo. Assim, deixe claros os limites. Desenvolva, desde cedo, padrões culturais tais como:

- com relação à sexualidade: há grande diferença entre liberdade sexual e promiscuidade; entre sexo e amor; entre liberdade total e respeito próprio. Discutir essas diferenças e ajudar a formar conceitos nos adolescentes é tão importante quanto falar sobre prevenção de AIDS e de gravidez precoce, que são os temas a que os pais mais se atêm.

- com relação ao uso de álcool ou outras drogas ensinar que:
  - é sempre aceitável recusar uma bebida; inaceitável é ficar embriagado, "pagar micos homéricos" e depois não lembrar de nada;
  - é inaceitável beber, mesmo que moderadamente, e depois dirigir ou praticar atividades de risco como escaladas, ciclismo, andar de moto etc., colocando sua vida, e especialmente a dos demais, em perigo.

• *Seja coerente quanto às normas de disciplina*

– lembre-se sempre de que as melhores normas são aquelas passíveis de serem cumpridas. Não estabeleça regras que seu filho não possa cumprir. Por exemplo: querer que ele só tire notas acima de oito, senão não sai no fim de semana; proibir seu filho de 16 anos de voltar para casa de madrugada, sabendo que, hoje em dia, as festas começam à meia-noite. Assim ele nunca irá a festas; mas você pode estabelecer que, em dia de festa, ele pode voltar para casa às 4:00 da manhã, mas nos outros dias (para ir a um barzinho, ao cinema ou ao boliche), a hora de voltar é à 1:00 hora da manhã, por exemplo. Assim, você estará sendo coerente e as regras estarão sendo viáveis de cumprir.

• *Estimule positivamente, buscando diminuir a insegurança e a baixa auto-estima natural da idade*

– se sua filha se acha feia, anti-*sexy*, pouco atraente, não fique triste. É da idade. Procure sempre mostrar que todas as pessoas têm pontos positivos e negativos, ressalte o que ela tem de bom e de bonito, inclusive aspectos não apenas físicos. Lembre-se: todos os jovens sentem-se inseguros e desconfortáveis com tantas mudanças corporais e com tanto desejo de agradar ao sexo oposto.

- *Ressalte as vitórias escolares, esportivas e sociais*

  – valorize todas as conquistas: notas boas (mesmo que não seja em todas as matérias), o corte de cabelo, uma camisa nova que seu filho comprou, a nova namoradinha. Diga que gostou e como aprecia seu bom gosto e capacidade. Descubra seu filho como uma personalidade própria, diferente da sua e... elogie. Além de transmitir segurança, isso permite que, quando uma crítica ou um limite se tornem necessários, eles aceitem com menor resistência. Afinal, estão com a auto-estima lá em cima...

- *Busque oportunidades de diálogo sempre*

  – sempre que puder, converse com seus filhos. De preferência, quando estiverem em casa com vocês — e sem os amigos. Eles detestam que os pais se "misturem" dando uma de "coleguinhas" dos amigos. A hora do jantar, quando estiverem juntos vendo TV, ou apenas sem nada o que fazer — essas são as horas boas e descontraídas que favorecem o diálogo Não deixe para conversar apenas quando tiver de "dar uma bronca" ou colocar limites. Tudo funciona muito melhor se, a maior parte das vezes, houver um clima agradável em casa, muitas conversas acontecerem todo o tempo, seja sobre política, futebol, filmes, até fofoquinhas, e só eventualmente surgir a necessidade daqueles "papos sérios".

• *Seja breve e objetivo*

– vá direto ao ponto, sem rodeios; mas fale com suavidade e docemente, embora com firmeza.

• *Seja verdadeiro*

– não "disfarce" seus pontos de vista, com medo de desagradar seu filho; não deixe de dizer o que pensa sobre todos os assuntos, mas faça-o fundamentadamente, com argumentos verdadeiros. Faça com que se habitue a buscar a verdade em você, não em outras fontes.

• *Não aceite que saiam sem dizer onde estarão e com quem*

– nessa idade é ainda mais importante que eles nunca deixem de dizer onde estão, com quem, a que horas aproximadamente estarão de volta, com quem irão voltar etc. Esteja disponível para buscá-los, sempre que necessário. Isso é muito bom, protege e nos dá possibilidade de saber com quem eles andam. Insista nisso; se necessário, proíba que saiam, se teimarem em não querer dizer aonde irão. Explique a questão do amor e da segurança e que não se trata de controle. Mas deixe claro que essa regra é inegociável. Exemplifique invertendo a posição. Pergunte: "Se eu passar mal e precisar de sua ajuda, como vou

poder contar com você, que é meu maior amigo?"
Essa é apenas uma das formas de fazê-los ver as
questões do nosso ângulo. Normalmente, o deles é:
"Minha mãe pega muito no meu pé, que droga..."
Falando assim, mostrando nossos sentimentos e
preocupações, eles verão as coisas de outro jeito
e talvez... até nos compreendam!

Em tempos de celular, muitos pais acabam dando
um para os filhos, achando que, assim, poderão saber onde eles estão e comunicar-se quando quise-
rem. Na verdade, ter um celular e receber um cha-
mado não garante aos pais que os filhos estejam
realmente onde dizem que estão. Portanto, vocês
poderão estar se iludindo. O ideal é estabelecer um
clima de confiança tal, que os filhos não considerem
um absurdo ter de dizer aonde vão, deixar o telefone e o endereço, o nome do dono da festa etc., independente de terem ou não um telefone celular.

- ## *Aceite e estimule a necessidade de expressarem independência*

  – é importante lembrar que a independência e a iniciativa são os maiores sinais de que nossos filhos estão crescendo e caminhando em direção à idade
  adulta. Portanto, não os impeçamos de caminhar
  com segurança e coragem nessa direção. Uma coisa
  é proteger, orientar e dar limites; outra é impedir

que eles tomem decisões e atitudes para as quais já estão capacitados. Observe seu filho: talvez você descubra que ele tem razão quando reclama de que você o trata como criança. Isso não é prova de amor, como julgam alguns pais, é falta de percepção, de sensibilidade e, às vezes, até de maturidade. Deixemos nossos filhos crescerem, especialmente se lhes demos, na infância, uma estrutura ética básica. Temos de confiar neles e no trabalho que nós próprios fizemos ao longo dos anos.

– essa necessidade de independência muitas vezes não é devidamente aproveitada pelos pais. Os jovens querem ser independentes, mas é preciso que essa independência não se desvincule da responsabilidade. É comum hoje em dia vermos jovens que não dão nenhuma colaboração em casa, por menor que seja. Muito independentes e cônscios de seus direitos, poucas vezes mostram-se dispostos a utilizar sua independência para contribuir, de alguma forma, com a casa, a família, os irmãos, os pais. Assim, aja no sentido de dar limite a essa distorção; à medida que crescem e conquistam independência, devem também conquistar alguns deveres, tais como: ficar encarregados de alguns pagamentos bancários; de, numa necessidade, irem à farmácia comprar o remédio da mamãe que acabou ou o xampu que eles, candidamente, comunicam a você, mãe, que "precisa comprar mais". Devolva a necessidade, passando-lhes a possibilidade de comprarem eles próprios o xampu — não só para eles como para toda a família. Lavar seus tênis, cuidar dos botões da roupa que caiu, qualquer coisa que você perceba que eles já podem fazer, é importante que façam. Não deixe que seus filhos sejam meros usufruidores das benesses da família e do trabalho dos outros. Desperte neles o prazer de participar, de produzir e de mostrar suas capacidades. No início, poderão não gostar, mas é preciso que compreendam que a cada direito corresponde um dever. Caso contrário — nada de direitos, certo?

Tudo isso posto...

...lembre-se de que, quando necessário, embora com autoridade e não autoritariamente, a última palavra — deve estar claro para os filhos — será a dos pais

É claro que, mesmo que tenhamos muita sensibilidade e que estejamos sempre incentivando o crescimento e a independência de nossos filhos, algumas vezes eles precisam saber que existe uma autoridade, alguém que decide algumas coisas por eles, que os protege até da sua própria audácia e impulsividade. Se você proíbe que ele use álcool antes dos 18 anos, que nunca dirija sem carteira, que não entre no carro de um amigo menor que está dirigindo escondido, ele terá uma desculpa para si mesmo e para os outros. Nem que diga para si mesmo: "Só meus pais são assim; os outros é que são maneiros." Isso pode ser uma ótima desculpa para eles mesmos deixarem de correr certos riscos a que a idade e a falta de maturidade os conduzem. Até que se tornem adultos, é importante que saibam que:

- embora pratiquemos a democracia no nosso lar;
- que respeitemos suas opiniões, sua personalidade e privacidade;

- que instituamos o diálogo como a marca maior na nossa família;
- que haja respeito e harmonia sempre que possível.

Nada disso exclui a necessidade de uma hierarquia, que inclua a autoridade dos pais, que, em última instância, esgotados todos os demais recursos que buscamos aqui referenciar — esgotados todos os recursos, repito —, a última palavra, até que eles sejam adultos, independentes portanto financeira, afetiva e profissionalmente, e sem que isso constitua autoritarismo, nem forma alguma de violência ou desrespeito (antes representa cuidado, responsabilidade e amor), será ainda *a palavra dos pais*.

Limites dos pais

Estamos quase terminando...

Só falta refletirmos sobre um aspecto que é tão importante quanto os que trabalhamos até agora...

Para dar limites, os pais têm, também eles, que TER LIMITES.

Ninguém pode dar o que não tem, não é mesmo?

Então, vale lembrar algumas regrinhas básicas, que não podem, em hipótese alguma, ser esquecidas e que constituem nossos próprios limites, sem os quais não teremos o respeito de nossos filhos, seu afeto e, especialmente, jamais seremos exemplos para eles.

Ou seremos péssimos exemplos, não é mesmo?

- *Jamais aplique limites a seu filho visando ao seu próprio interesse ou prazer pessoal*

  – quer dizer, não vale estabelecer um horário para a criança ir dormir todos os dias, exigir isso, lutar por isso, mas num belo dia (uma sexta-feira, sábado ou domingo), tendo em vista que está sem babá e quer ir passear, arrastar a criança com você, burlando sua própria norma. Os limites são estabelecidos para que a criança, a curto, médio e longo prazos seja a beneficiária (lembra os problemas que a falta de limites pode acarretar aos nossos filhos? É por isso que se dão limites, para que eles cresçam sadios afetiva e socialmente). Claro, pode ocorrer que, eventualmente, as regras precisem ser suspensas, mas não sistematicamente para atender ao seu prazer — e sim a uma necessidade. Lembra o que falamos sobre desejo e necessidade? Vale para nós também... Por exemplo: é diferente você levar a criança, mesmo na hora de dormir, ao aniversário da vovó, a um casamento que você não pode deixar de ir. O que não pode é a regra valer nos dias em que você quer paz e sossego e aí, quando a criança já está com seu sono organizado e aprendendo aquela norma, você

chega e muda as regras do jogo, porque está lou-
quinho para cair na noite. Lembre-se: filho é uma
opção pessoal. Se escolhemos tê-los, assumimos au-
tomaticamente alguns limites para as nossas vidas...

• *Não viole regras; isso também é falta de limites.*
Lembre-se: seu filho está permanentemente
aprendendo com você

– estava eu comprando ingressos para o teatro outro
dia quando ouvi um senhor, com a filha de cerca de
13 anos, insistindo na bilheteria, ao ser informado
de que a peça era proibida a menores de 18 anos:
"Mas se ela vier comigo, entra?" No caso, o tema era
totalmente inapropriado, mas o que importava para
esse pai era ELE poder ir, embora fosse contra a necessidade educacional da filha. O que estava ele ensinando? Que a lei é válida *só* para os outros. Amanhã, se a filha estiver burlando a lei, o que poderá
ele dizer? E, se disser, terá condição de ser ouvido ou
obedecido? A lei tem de valer para um e para todos.
Nenhum cidadão pode ficar acima da lei. E muito
menos passar esse modelo para os filhos. Isto é, se
desejam criar cidadãos...

• *Não estabeleça regras diferentes para seus filhos.*
O que vale para um, vale para todos

– proteger um filho em detrimento de outro é inaceitável; todos têm de ter os mesmos direitos, inclusi-

ve com relação a recompensas e punições. Se os dois se portam de forma adequada, têm de ter o mesmo tratamento. Mesmo que um seja mais carinhoso, mais simpático e menos agressivo e você se identifique mais com ele.

– não confundir regras com possibilidades: um filho de 8 anos pode ter que ir para a cama às 9:30, mas o de 14 pode ir mais tarde. Isso é outra coisa: é diferenciação de possibilidades por idade, que o menor irá alcançando à medida que cresce. Mas justiça, igualdade de direitos e deveres têm de ser para todos. Não há nada mais potente para destruir a autoestima de um filho do que sentir-se discriminado pelos próprios pais em detrimento de um irmão ou de outra pessoa. Crie filhos justos sendo justo.

• **Não use os limites como desculpa para sua pouca paciência ou tolerância quanto às necessidades dos filhos**

– os pais têm o dever de dar limites, mas nunca apenas para tornar sua vida "mais fácil". Por exemplo: seu filho de 7 anos está fazendo a folia natural da idade, rindo às gargalhadas com um amiguinho, brincando com seus bonecos super-heróis (hoje menino também brinca de boneca) e você só ouvindo "plaft! pum! piau! pam! schhhh cabum!!! (cá para nós, ouvir esses ruídos horas a fio realmente dá nos nervos. E a gritaria estridente das vozes das meninas? São de lascar também!). A coisa está começando a incomodar, afinal você trabalhou o dia todo e agora tudo o que mais queria era ouvir o noticiário na TV, tomando uma cerveja geladinha e o silêncio, ah, o bendito silêncio! Como você está precisando dele! Só que você não fala nada. Aí, certa hora, você enlouquece, porque, em vez de, antes de ter esgotadas suas medidas, ter tomado uma providência que não ultrapassasse os limites de ninguém (por exemplo, levar gentilmente a meninada para brincar no quarto), você vai acumulando aquela raiva, aquela raiva vai esquentando sua cabeça, mais ainda porque você não falou nada, e aí, uma hora depois, já louco de ódio, você dá uma bronca geral, espalha menino para tudo que é lado, manda a visita embora, tranca seu filho no quarto e diz que é porque já estava na hora de ir estudar mesmo... Toda criança sabe quando uma medida foi justa ou não. Portanto, não quebre os portais da comunicação com atitudes que deixem seus filhos sem confiança no seu tirocínio e equilíbrio. Agindo assim, como esperar que, mais tarde, seja você a pessoa com quem ele se aconselha ou a pessoa que ele ouve? Aja com equilíbrio — e antes que suas atitudes sejam ditadas pelas emoções.

- **A pretexto de usar limites, não espere que seu filho compreenda, aceite e se comporte além do que as NECESSIDADES da idade permitem**

  – lembra daquela regrinha? Se você não quer que seu filho de 3 ou 4 anos tenha um "piti" no restaurante, não o leve para lá às 10:00 da noite, esperando que ele fique muito feliz por ter de dormir com a cabeça apoiada nos braços cruzados sobre a mesa ou que ache superlegal ouvir o papo de quatro adultos tomando chope por três horas seguidas... é preciso que nos conscientizemos do que eles conseguem e do que eles não conseguem fazer. Essa é a medida Não significa que quem está com filhos em casa nunca mais pode sair, certo? Mas que os programas terão que ser mais espaçados ou ajustados às possibilidades, terão... Bem, a não ser que você prefira ver seu filho correndo e derrubando cadeiras, pessoas, carnes e garfos pelo restaurante, choramingando horas a fio ou dormindo no colo do seu amigo, que, constrangido, Inadvertidamente cometeu a imprudência de sentar-se ao lado dele... Lembre-se: quem não tem filhos geralmente não tem obrigação de cuidar dos filhos dos outros no sábado à noite, certo? Existem muitas maneiras de conciliar as coisas, de forma que você e seu filho possam fazer o que gostam... Use sua criatividade. Mude um pouco o tipo de programa ou alterne com alguns amigos. Enfim, lembre-se: você é o adulto e ele, a criança.

• Não exacerbe seus direitos

— como vimos, a palavra final, em variadas situações, deve ser a dos pais, mas espera-se deles que sejam equilibrados e saibam discernir em que situações eles têm esse direito — *aquelas em que estão efetivamente defendendo, protegendo, dando segurança aos filhos.* Por isso, nada de escolher a namorada, a carreira, a roupa dos filhos já adultos, o corte de cabelo etc. Controle é uma coisa, limite é outra, bem diferente. E, especialmente, ao usar seus direitos, não esqueça dos direitos dos seus filhos:

- amor
- segurança
- respeito
- igualdade de tratamento
- justiça
- disponibilidade de tempo dos pais.

Bibliografia

Abbagnano, N. & Visalberghi, A. *História da pedagogia III*. Lisboa, Horizonte, 1981.

Braga, R. *O comportamento hiperativo na infância*. Curitiba, Conscientia, 1998.

Cerizara, B. Rousseau. *A educação na infância*. São Paulo, Scipione, 1990.

Climent, C.E. & Guerrero, M.E.C. *Como proteger seu filho das drogas*. São Paulo, Maltese, 1992.

Ferrero, E. *Reflexões sobre alfabetização*. São Paulo, Cortez, 1989.

Freinet, C. *Pedagogia do bom senso*. São Paulo, Martins Fontes, 1985.

Freire, P. *Pedagogia da autonomia, saberes necessários à prática educativa*. São Paulo, Paz e Terra, 1998.

Gadotti, M. *Pensamento pedagógico brasileiro*. São Paulo, Ática. 1988.

Gardner, H. *Inteligências múltiplas – A teoria na prática*. Porto Alegre, Artes Médicas, 1995.

Goleman, D. *Inteligência emocional*. Rio de Janeiro, Objetiva, 1995.

Gottman, J. *Inteligência emocional e a arte de educar nossos filhos*. Rio de Janeiro, Objetiva, 1997.

Machado, N.J. *Cidadania e educação*. São Paulo, Escrituras, 1997.

Maquiavel, N. *O príncipe*. São Paulo, Paz e Terra, 1998.

Montessori, M. *Montessori em família*. Lisboa, Portugália, s.d.

Oliveira, M.K. Vygotsky. *Aprendizado e desenvolvimento – Um processo sócio-histórico*, São Paulo, Scipione, 1997.

Piaget, J. *A epistemologia genética*. São Paulo, Abril Cultural, Coleção Os Pensadores.

—————. *O julgamento moral da criança*. São Paulo. Mestre Jou, 1972.

Savastano, H. e cols. *Seu filho de 0 a 12 anos*. São Paulo, IBRASA, 1982.

Sandstrom, C.I. *A psicologia da infância e da adolescência*. Rio de Janeiro, Zahar, 1975.

Schaefer, C.E. & DiGeronimo, T.F. *How to talk to teens about really important things*. São Francisco, Jossey-Bass, 1999.

Teitelbaum, P. *Psicologia fisiológica*. Rio de Janeiro, Zahar, 1976.

Terdal, L. & Kennedy, P. *Produção independente*. Rio de Janeiro, Rosa dos Tempos, 1999.

Zagury, T. *Sem padecer no paraíso – Em defesa dos pais ou sobre a tirania dos filhos*. Rio de Janeiro, Record, 1991.

————. *Educar sem culpa – A gênese da ética*. Rio de Janeiro, Record, 1993.

————. *O adolescente por ele mesmo*. Rio de Janeiro, Record, 1996.

————. *Encurtando a adolescência*. Rio de Janeiro, Record, 1999.

Este livro foi composto na tipologia Syndor
em corpo 12/17 e impresso em papel Pólen Bold 90g/m²
no Sistema Cameron da Divisão Gráfica da Distribuidora Record.